차라투스트라여

그대

춤추는

한낮이여

김선욱 장편소설

사라지는 길의 입구에서

차례

작가의 말

바다에 다다른 강물처럼

소설을 쓰는 동안 등 뒤에서 청춘이 천천히 작별을 고하고 있었다. 나의 이십 대는 그렇게 지나갔다. 소설을 쓰면서 나의 계절이 바뀌고 있는 것을 느낄 수 있었다. 때때로 추위 같은 슬픔이 밀려왔다. 돌이켜보면 내가 유일하게 사랑한 것은 슬픔이 아니었을까, 하고 생각하기도 했다. 늘 가랑비처럼 가만히 슬픔에 젖어있었다. 그것은 아주 오래된 일이다.

사는 동안은 특별히 웃을 일도 그렇다고 울어야 할 일도 없다고 생각했다. 그게 무엇이든 결국 아무것도 아니다, 라고 생각했다. 무상無常, 어려서부터 나는 무상을 선망했다. 무상을 생각하면 아무것도 불안하지 않았다. 무엇이든 이대로 괜찮다고 느꼈다. 그러나 나란 놈은 도무지 알 수가 없다. 아무것도 하고 싶지 않다가도 전부를 기록하고 싶어졌다. 아무도 읽지 않을 이 글을 쓰고 있는 이유도 마찬가지다. 혼자서 머릿속으로 회상하면 그만인 것을 굳이 활자로 남기고 있는 것은 어쩌면 무언가를 쓴다는 행위 자체의 웅장함에 매료당하고 있는 것인지도 모른다. 실제로 자꾸만 쓰다 보니 나에게도 문체라는 것이 생긴 것 같은 착각이 들기도 했다. 확실한 것은 쓰면 쓸수록 무언가를 덜어내는 기분이 든다는 것이다. 그렇다 나는 계속해서 나를 덜어내고 있다. 아니 그래야 한다. 그렇게 끝내 가벼워질 것이다. 그렇게 중력을 벗어나 가볍고 편안하게 사라질 것이다. 그게 지금 내가 바라는 유일한 희망이다.

소설을 쓰는 동안 내가 한 가지 깨달은 것은 내가 나를 죽이는 일은 지극히 당연한 일이라는 사실이다. 실제로 인간의 몸은 매순간 스스로를 죽이는 일에 몰두하고 있지 않은가. 그렇다. 인간은 결국 자신을 죽이기 위해 태어나는 것이다.

7년이라는 시간은 긴 시간이다. 내 얼굴을 보면 알 수 있다. 그 일이 있고 벌써 7년이 지났다. 한 가지 확실한 것은 나는 분명 7년 전보다 훨씬 시시한 인간이 됐다. 더이상 죽은 사람을 보는 일이 낯설거나 두렵지 않기 때문이다.

∞

그 해 루다와 나는 엄청난 양의 술을 마셨다. 늘 소주로 시작해서 배가 부르면 맥주를 마셨다. 이상하게도 미친 듯이 맥주를 마시면 마실수록 허기가 졌다. 그렇게 실컷 마시고는 울다가 웃었다. 웃다가 울기도 했다. 그리고 마지막에는 늘 같은 생각을 했다. 우리는 몰락하고 있다.

바다에 다다른 강물처럼

"아들. 대충 살아. 너무 열심히 살려고 하지 마."

엄마는 그 당시 가끔 전화를 해서는 본인이 하고 싶은 말만 하고 끊어버렸다. 나는 엄마의 걱정과 달리 어려서부터 무언가를 열심히 한 적이 없었다. 학창 시절부터 수리력을 요구하는 과목은 교과서를 펼쳐보기도 전에 포기했고, 땀이 나기 전에 운동을 멈췄다. 심지어는 배가 부르기 전에 숟가락을 내려놓기도 했다. 그럼에도 엄마는 늘 내가 무언가를 열심히 하는 인간이라고 생각했다. 엄마는 늘 어떤 문제에 있어 이미 결론을 내놓고 관찰을 하는 형태의 인간이었다. 진실이나 사실 따위는 중요하지 않았다. 보고 싶은 것만 보았고, 믿고 싶은 것만 믿었다. 남의 말은 잘 듣지 않았다. 나는 엄마가 허무주의자가 아니라 다행이라고 생각했다.

∞

공짜로 주어지는 것들은 대체로 의미가 없다. 그래서 산다는 것 역시 무의미한 건지도 모른다. 스스로 원해서 태어난 인간은 없다. 그래서 태어나자마자 미친 듯이 울음을 터뜨리는 건지도 모른다. 그렇다. 인생은 분명 울음으로 시작해 울음으로 끝이 난다. 삶이란 그뿐이다. 어쩌면 의미 없는 일이 진짜 의미 있는 것인지도 모른다. 인간이 예술이라는 말도 안 되는 헛짓거리를 끊임없이 시도하는 것도 바로 그런 이유에서다. 그런 점에서 나는 루다가 내 인생에서 어떤 의미였는지를 생각하다가 그만두는 일을 꽤 오랜 시간 동안 반복했다.

∞

피할 수 없으면 즐기라는 헛소리 따위에 현혹되어 젊음을 자본주의의 아가리에 갖다 바치는 일은 하고 싶지는 않았다. 그러나 자본주의의 아가리 안으로 머리를 밀어 넣을 기회를 갖는 것조차 녹록치 않는다는 것을 깨닫고 나서부터는 세계가 지극히 두려워지기도 했다. 대학을 졸업하고 취업을 준비하면서 자본을 획득하는 구조가 불합리하다고 생각한 적이 많았지만 특별한 대책은 없었다. 그저 속수무책으로 정부의 청년실업률 통계 속으로 빨려 들어가는 것 이외 내가 할 수 있는 것은 없었다. 그냥 정부나 기업의 제도에 순응하는 편이, 쓸데없는 불만을 품고 있는 것보다 훨씬 이롭다는 것을 얼마 지나지 않아 깨닫게 되었다. 수요와 공급이라는 자본논리는 일자리에도 그대로 적용되어 공공이나 민간이나 할 것 없이 앞다투어 비정규직을 양산했다. 나는 그곳에서 일을 하면서 그저 내가 땅강아지나 원숭이랑 다르지 않은 존재라는 진리를 깨달았다.

기본급은 정규직 신입 직원의 70%정도였고 수당은 초과근무수당이 전부였지만 요즘 같은 시기에 일을 할 수 있는 것만으로도 얼마나 감사한 일이냐며, 요즘 젊은 애들은 패기가 없다는 인사 담당 과장이 입에 돼지기름을 잔뜩 바르고 떠들어 댔던 것처럼 실제로 박봉의 비정규직 자리도 경쟁이 치열했다.

한때는 정규직이라는 것이 내무반에 누워 리모컨을 주무르던 말년 병장을 보았던 일처럼 신의 영역쯤으로 생각했던 때도 있었다. 그러나 그 신들이 다시 학교로 돌아가 그저 젠체밖에 할 줄 모르는 복학생 꼰

대가 된다는 사실처럼 정규직이 된다는 것도 형태만 다를 뿐 인생 전체를 놓고 보면 결국 형편없는 헛수고 중의 하나일지도 모른다고 생각했다. 인생 자체가 비정규직인데 정규직으로 사는 것이 무슨 의미가 있나, 하고 생각 했다. 그저 기회만 된다면 인간세계를 향해 침을 뱉고 싶다는 생각을 할 뿐이었다.

∞

나는 월급의 절반 이상을 맥주를 사는 데 썼다. 그것은 시시하기 짝이 없는 세계에서 내가 유일하게 천착하는 일 중에 하나였다. 하루에 8시간을 일하고 나머지 16시간을 맥주가 주는 호기에 취할 수 있다면 그것만으로 됐다. 살아감에 있어 그 정도의 취기를 유지할 수 있을 만큼의 자본만 있으면 됐다고 생각했다.

약강강약의 인간은 특히 회사라는 조직에 널려있다. 기간제나 일용직근로자에게는 강하고, 정규직 간부들에게는 나비처럼 살랑이는 인간들을 보면 구역질이 났다. 하루라도 맥주를 퍼 붓지 않고는 도저히 그 세계를 버텨낼 수 없었다. 인간은 단 한순간도 편을 나누지 않거나, 상대를 만들지 않으면 살 수 없는 동물이라는 사실을 나는 회사를 다니며 깨달았다. 사내정치는 치졸했으며 악랄하고 유치했지만 그만큼 잔인했다. 가진 자들은 가진 것을 지키기 위해 가지지 못한 자들은 가진 자들의 것들을 뺏기 위해 백조의 호수처럼 매일 파티션에 몸을 숨기고 발버둥을 쳤다. 하루에도 몇 번씩 웃는 얼굴로 상대를 찌를 수 있는 동물은 아마 인간밖에 없을 것이다. 나는 그런 점에서 인간이기를 포기하고 싶다는 생각을 했다.

∞

혼자라는 건, 내가 무자비한 악당처럼 굴어도 아무 상관이 없다는 뜻이기도 하다. 알코올이 은하수처럼 온몸의 세포와 부딪치며 빛을 내는 나만의 우주. 나만의 방. 나의 우주는 이정도면 됐다. 하루 종일 결재문서를 붙들고 끔찍한 병중에 걸린 사람처럼 이리저리 끌려다니던 하루의 하찮고 보잘 것 없음이 사라지는 시간. 좁고 커다란 나의 우주. 나의 방에서 홀로 취해있을 수 있음에 감사했다. 때때로 이대로 죽어버린다고 해도 괜찮다고 느꼈다. 나는 그 순간만큼은 날고 있었다. 그렇게 아침이 올 때까지 나는 홀로 추락하고 몰락했다. 망아지경. 누구도 나를 방해할 수 없다. 나는 줄곧 이렇게 살다가 우주를 끝없이 유영하는 부유물처럼 이 세상을 하직할 뜻이 있다. 적어도 아침이 밝아오기 전까지는 그렇다. 밤사이 누렸던 자유와 포용의 세계에서 매일 아침 빠져나오면서 나는 이렇게 생각했다.

아무리 닦아내도 다시 쌓이는 먼지처럼 죽음은 온다. 바다에 다다른 강물처럼 의연하게 사라지자. 생을 부정할 이유도 없지만 억지로 질질 끌고 갈 생각도 없다. 생이 흐르는 대로 노를 저어 가자. 가는 동안 맥주 한 잔이면 된다. 즐겁게 다리를 건너가자.

∞

　　　　　　　　바다에 다다른 강물처럼

그러니까 뭐라도 되는 것처럼 잘난 척하는 것들은 엿이나 먹으라고 하고 너의 길을 가. 결국 인간도 한 철 매미와 다를 바 없어. 삶 따위에 의미는 없어. 그냥 살아있으니까 소리치는 거야. 수컷은 죽을 때까지 번식욕에 허덕이며 암컷을 향해 미친 듯이 구애를 하다가 그렇게 가는 거라고. 그건 인간 따위가 선택할 수 있는 문제가 아니야. 그러니까 움직일 수 있을 때 힘껏 달려. 이렇게 마실 수 있을 때 실컷 마셔. 인간이 살면서 할 수 있는 것이란 결국 그뿐이라고. 차라투스트라는 이렇게 말했지. 인간 존재란 알 길 없는 것이고 결국 아무런 의미도 없는 것이라고.

브루스는 술에 취하면 인생에 대해 논하길 좋아했다. 그리고는 어김없이 한 두 번은 꼭 콧수염을 쓰다듬으며 니체로 빙의해서는 말했다. 나는 때때로 꼰대처럼 굴지 말라고 충고해 주었지만 그의 말이 대체로 그럭저럭 들어줄 만했기 때문에 간혹 추임새를 넣어주기도 했다. 우리는 주말이 되면 무겁고 큰 그의 오토바이를 타고 양조장이 있는 지방 소도시로 떠나는 것을 즐겼다. 읍이나 면 단위에서 직접 제조하는 막걸리와 근처 전통시장에서 돼지머리를 누른 편육 따위를 사서 논이나 밭두렁 구석에 있는 정자나 공터에 아무렇게나 자리를 잡았다. 전답은 사계절 내내 훌륭한 술친구가 되어주었다. 우리는 그곳에서 특별한 말을 하지는 않았지만, 매번 기분 좋은 대화를 나눈 사람들처럼 경중의 행복감을 느꼈다. 멀리서부터 불어오는 흙바람에는 잘 익은 새우젓처럼 감칠맛이 났다. 막걸리에서 퍼지는 누룩의 들쩍지근한 향까지 곁들이면 브루스 말대로 매번 황희정승이 부럽지 않았다.

바다에 다다른 강물처럼

빈집을 두드리는 슬픔

9시 정시에 책상 앞에 앉으려고 일부러 걸음을 늦춘다. 이제 이 방면에는 이골이 나서 시간을 정확히 맞춘다. 가끔 조금이라도 일찍 도착하는 날은 회사 앞 공터에서 담배를 태우며 시간을 채운다. 1분이라도 먼저 노예가 될 필요는 없다고 생각했다. 내가 1층 현관 회전유리문을 통과하는 것을 보고 9시 1분 전 이라는 것을 알 수 있다며 안내데스크 직원이 신묘하다는 표정으로 말하기도 했다. 안내데스크는 외주 용역업체에서 파견한 직원들이 근무하는 형태였는데 보안요원과 안내요원 이렇게 두 명이었다. 보안요원은 대체로 30대 중후반의 남자였고, 안내요원은 20대 초반의 여자들이 많았다. 직원들이 자주 바뀌는 편이라 얼굴이 조금 눈에 익었다 싶으면 귀신처럼 다른 얼굴이 서 있곤 했다. 그때마다 나는 조금 섬뜩한 기분이 들곤 했다. 그들은 늘 같은 유니폼을 입고 있었는데 여자는 청록색 상의에 베이지색 H라인 치마를 입었다. 나는 같은 회사에서 근무하는 사람들 중에 왜 그들만 유독 유니폼을 입어야 하는지 생각했다. 유니폼은 교복을 입던 학창시절을 떠올리게 했고 그때를 떠올리는 일은 유쾌한 일이 아니었기 때문에 그 문제를 오래 생각하지는 않았다. 다만 그들이 매일 같은 옷을 입고, 출근하는 직원들에게 다소곳이 인사하는 것이 조금은 불편해서 아예 눈을 마주치지 않으려고 노력했다. 이유는 알 수 없지만 그들의 유니폼이, 아니면 공손한 자세가 나도 모르게 어떤 우월감 같은 감정을 불러일으키는 것 같다고 생각했기 때문이다. 또 상대적으로 나는 그들에게 박탈감 같은 것을 건네주고 있는 것 같기도 해서 여간 불편한 게 아니었다. 그래서 나는 가급적 그들과 말을 섞지 않으려 노력했다. 그건 전적으로 나를 위한 행동이기도 했다.

　점심시간이 되면 손거울을 보는 일에 몰두했다. 거울이 작아서 얼굴을 하나씩 뜯어 봐야했다. 왼쪽 눈부터 턱밑까지 시계방향으로 하나하나. 내 몸 중에 유일하게 얼굴만 내 눈으로 직접 볼 수가 없다. 어쩌면 그것 때문에 쉽게 가면을 쓸 수 있는 건 아닐까, 하고 생각하기도 했다. 인간은 절대 자신의 얼굴을 직접 볼 수 없다. 그런 의미에서 얼굴은 나를 위한 것이 아니라고 생각했다. 자신에게 보여주기 위해 표정을 짓는 인간은 없다. 그런 의미에서 인간은 죽을 때까지 다른 사람을 위해 사는 것은 아닐까, 하고 생각하기도 했다. 그렇다. 인간은 애초부터 타인을 위해 태어난 것이다. 그래서 나는 되도록 아무 표정을 짓지 않기 위해 노력했다. 오롯이 나를 위해 존재하고 싶다. 그러나 인간이 만들어놓은 세계 안에서 홀로 산다는 건 무척이나 어려운 일이었다. 나는 학교에서도 그랬고, 회사에서도 그렇고 홀로 존재할 만큼 현명하

　　　　　　　　빈집을 두드리는 슬픔

거나 강하지 못했다.

얼굴을 들여다본 후에는 주로 몸 안쪽의 것들을 생각한다. 피부 안쪽에 보이지 않는 심장을 비롯한 오장육부는 내 의지와 상관없이 쉬지 않고 움직이고 있다. 개 중에 하나라도 멈춘다면 그것이 죽음이다. 간단하다. 죽음은 이토록 간단한 이유로 성립된다. 삶에서 죽음으로 가는 시간은 많은 시간이 필요하지 않다. 몇 분이면 충분하다. 아니 1초 만에도 갈 수 있다. 활활 타오르던 촛불이 훅, 하고 꺼지듯. 매일 죽음이란 것이 나와는 상관없는 안드로메다 이야기가 아니라 너무도 가까운 현실이라는 것을 깨닫는다. 쾅쾅거리는 심장에 손을 대어본다. 내가 빈집이라는 것을 깨닫게 되면 언제고 두드리는 일을 멈출 것만 같다. 계속 생각해야만 한다. 생각하지 않으면 죽을 것이다. 심장은 생각하지 않는 인간을 위해 무턱대고 뛰어줄 만큼 관대하지 않다. 내장기관들은 내 의지와는 상관없이 각자 살아내고 있다. 그렇다면 뇌의 명령을 받아 움직이는 손이나 팔다리와 다르게 내가 통제 불가능한 내장기관이 온전히 나라고 볼 수 있을까. 내가 움직이라고 해서 움직이는 것도 아니고, 제 멋대로 움직이고 있는데, 평생 한 번도 내 눈으로 볼 수도, 만질 수도 없는데. 그게 과연 나라고 할 수 있을까. 이런 생각들이 꼬리에 꼬리를 붙들고 이어졌다.

거울을 내려놓고 양손을 이리저리 뒤집어가며 봤다. 손가락이 가늘고 길다. 거미 다리 같기도 하고 도라지나 더덕 같은 뿌리식물 같기도 했다. 브루스는 그것이 내가 자신과 같은 종의 인간이라는 것을 증명하는 것이라고 했다.

나는 이 손으로 한 번이라도 누군가를 따뜻하게 잡아 본 적이 있던가. 쉽게 떠오르지 않았다. 가만히 손을 보고 있으니, 손 없는 날이라는 말이 생각났다. 나는 이 말을 엄마한테 처음 들었는데 손이 없는 날이라니, 처음엔 사람이 손을 원하는 대로 뺐다 꼈다 하는 이미지를 떠올렸는데 그것을 신체적 장애와 연관 지어 생각했다. 나는 멀쩡하게 손이 있으니 아무 날이나 자취방을 옮기겠다는 말을 듣고 한걸음에 서울까지 올라와 달력에 빨간 동그라미를 그려대던 엄마의 확신과 의지가 당시에는 무서웠다. 짐이라고 해봐야 반복해서 읽고 있는 스무 권 남짓한 낡은 소설책과 옷가지 몇 벌이 전부였지만 엄마는 양이 많건 적건 이사는 이사라며 뜻을 굽히지 않았다. 나는 이후에도 그것이 귀신이든 사람이든 손님이 없는 날보다는 있는 날이 훨씬 낫지 않나, 라는 생각을 했지만, 엄마에게 그렇게 얘기하지는 않았다.

손이 있건 없건 어쩌면 앞으로 나는 아무것도 할 수 없을 것 같다고 생각했기 때문이다. 무언가를 잡고, 안고, 쓰다듬는 일에 내 손이 적절하지 않은 것 같았다. 모든 것을 놔주거나 그냥 그저 지켜보는 일 말고 할 수 있는 일이 없을 것 같았다. 아니, 그렇게 하는 것이 나를 위해 할 수 있는 유일한 일이라고 믿기로 했다. 나는 도스토옙스키의 수기처럼 지하에서 살기로 했다.

∞

나는 어려서부터 너는 무슨 애가 이렇게 욕심이 없니, 라는 말을 자

빈집을 두드리는 슬픔

주 들었다. 대통령, 과학자, 선생님 같은 인류 보편의 장래 희망을 적어내던 시절에도 나는 무직이라고 적었다. 당시 담임선생은 내 답변의 심각성에 대해 인류 종말의 신호로 느꼈다고 했다. 엄마에게 전화한 담임은 내가 조금 이상하다고 말했다가 되레 엄마에게 혼쭐이 나고 전화를 끊었다. 엄마를 몰라도 한참은 몰랐던 것이다. 우리 엄마의 기준에 이상한 일이란 내가 갑자기 히브리어로 불경을 읽으면서 뿌리식물이 되겠다고 허리까지 땅에 파묻는 정도의 일이 아니라면 모두 정상범주에 속했다.

나는 식욕이 가장 왕성하던 유년 시절에도 초콜릿이나 과자, 피자, 콜라 따위를 먹고 싶다고 말해본 적이 없었다. 정말로 먹고 싶지 않기도 했지만, 부모에게조차 아쉬운 소리를 하고 싶지 않았기 때문이다. 반대로 집안이 얼마나 애옥하면 애가 늙은이처럼 저렇게 의젓할까, 라는 말은 듣기 싫어서 약간의 익살을 부려가며 주위 사람들을 안심시키기도 했다. 기실 무엇에도 별반 관심이 가질 않았다. 그래서 관심종자들이 대부분이었던 학교생활을 견뎌내는 것이 여간 힘들었던 것이 아니었다. 그런데도 나는 항상 잘 해냈다. 남들과 다르게 행동하는 것이 오히려 주목받는 일이라는 것을 깨닫고 난 이후부터는 부러 사람들 속에서 그들이 웃으면 웃고 울면 슬픈 표정을 지어주었다. 그런 면에서 나는 타고난 배우에 가까웠다. 덕분에 학교를 마치고 집으로 돌아오면 남들보다 두세 배는 노곤했다. 시간이 지나면서 그마저 익숙해져서 내가 연기를 하는 것인지 아니면 실제 감정인지 헷갈릴 때가 많았지만 그동안 가족과 학생이라는 역할극을 제법 훌륭히 소화해냈다.

졸업을 하면 끝이 날 줄 알았지만 무대와 관객만 바뀌었을 뿐, 나는 계속 연기를 해야만 했다. 어디에서도 홀로 존재하겠다는 인간을 이해하지 못했기 때문이다.

∞

조용하다. 아니 적막하다는 표현이 조금 더 정확하겠다. 벽면을 따라 설치된 할로겐 조명들에서 오랫동안 입을 다물고 있는 사람처럼 단내가 난다. 공기 중에 부유하던 먼지가 바닥에 닿는 소리가 들릴 정도의 적막이다. 흐라발의 소설 '너무 시끄러운 고독'이 생각났다. 나는 서점 한복판에 '소설가 50인이 선정한 올해의 소설'이라는 코너명 바로 앞에 누워있는 그 초록의 소설을 집어 들자마자 생각했다.

보후밀 흐라발이라니, 이름 한 번 거창하군.

나는 한동안 맥주를 쉴 새 없이 퍼마시며 책을 압축하는 한탸라는 노인에게 꽤나 몰입해있었다. '하늘은 전혀 인간적이지 않고 사고하는 인간 역시 마찬가지라는 것'이라는 문장에 크게 공감했기 때문이기도 했지만, 그보다 그가 삼십오 년째 책과 폐지를 압축해대는 지하실과 내가 있는 이 전시실이 별반 다르지 않다는 생각에서였다. 나는 매일 대부분 혼자였고, 고독했지만 이 일이 좋았다. 물론 한탸처럼 맥주에 잔뜩 취해 일을 할 수 있었다면 더할 나위 없이 좋았겠지만 매일 개흙

같은 인간들을 자주 마주치지 않는 것만으로도 충분했다.

나는 지하 수장고에서 온습도를 체크하고, 작품의 출납을 관리하는 일을 했다. 대체로 수장고나, 상설전시장에서 작품 진열에 필요한 조명이나 좌대 같은 것들을 정리하며 시간을 보냈다. 흔히 전시는 상설전시와 기획전시로 나뉘는데 나는 상설전시장과 기획전시장을 오가며 정규직 직원들의 기획안에 따라 작품을 꺼내 주거나 진열을 도왔다.

일정한 온습도. 1년 내내 춥지도 않고, 덥지도 않은 곳. 아무런 변화가 없는 곳. 오직 냉온습도를 조절하는 커다란 기계에서 나는 일정한 소음만이 가득 차있는 곳. 마치 깊은 바닷 속에 들어와 있는 것 같은 소란한 적막. 나는 내 일터인 수장고를 좋아했다. 소리를 낼 수 있는 생명체가 나 말고 없다는 것도 대단한 장점이었다. 나무상자에 혼수처럼 곱게 포장되어 있는 작품을 아무거나 하나 꺼내 혼자 감상하는 일도 꽤 근사한 일 중에 하나였다. 나는 하루 종일 그곳에 앉아 잠잠히 쌓여가는 시간의 죽음을 보살피는 일을 했다. 그렇게 앉아 있다 보면 삶이 나에게 비밀을 말해주는 것 같았다.

∞

전시장에는 천정 레일을 따라 매달려있는 조명만 80개가 넘는다. 그것들을 일일이 켜줘야 작품들은 비로소 제 몸을 드러낸다. 결국 빛이 없으면 아무것도 아닌 고체일 뿐이다. 나는 가끔 부러 조명을 켰다, 껐다하며 시간을 보냈다. 빛이 빛을 잃는 과정을 낱낱이 지켜보는 일도 이곳에서 할 수 있는 몇 안 되는 재밌는 일 중에 하나였다. 조명을 모두 끄고 가만히 전시장을 둘러보면 너도 나도 빛이 필요하다는 아우성이 들린다. 빛이 없는 모든 것들은 결국 존재하지만 존재하지 않는 것이 된다. 어쩌면 그것이 두려워 인간들이 그토록 불나방처럼 빛을 향해 뛰어드는 것일지도 모른다고 생각했다.

어둠속에 있는 작품처럼 평생 아무와도 관계를 맺지 않고 그림자처럼 혼자 살아가는 인간은 존재하는 것인가. 존재하지 않는 것인가. 작품이 전시장으로 옮겨져 좌대에 올려 조명을 맞추고 캡션을 붙여야 비로소 존재하는 것처럼, 인간들도 존재하기 위해서는 반드시 누군가의 시선이 필요한 게 아닐까. 인간들이 SNS를 하루 종일 물고 늘어지는 이유도 같은 게 아닐까. 그저 존재하고 싶어서. 나는 그런 의미에서 종종 고독사에 대해 생각했다. 그들의 생과 사는 무슨 차이가 있을까. 평생을 홀로 살다가 홀로 죽는 인간들에게 삶과 죽음은 어떤 의미인가. 그런 의미에서 홀로 존재하는 것은 결국 존재하지 않았던 것일 지도 모른다. 그런 의미에서 존재한다는 것이야말로 존재하지 않는 것일지도 모른다고 생각했다.

빛은 어둠이 없으면 존재 하지 않는다. 어둠이 없으면 빛도 존재 하지 않는다. 그러므로 빛은 곧 어둠이라고 할 수 있다. 그런 맥락에서 보면 삶과 죽음이 하나라고 말했던 어느 정치인의 유언이 틀린 말은 아니라고 생각했다. 그렇다 빛과 어둠도 그렇고 존재와 無도 애당초 하나인 것이다. 그런 의미에서 나는 無다. 無相이다. 그렇게 생각하기로 했다.

빈집을 두드리는 슬픔

우리는 무엇을 이루었을까

루다와 나는 6개월 남짓 함께 일했다. 루다는 우리 팀에서 추진한 국제비엔날레 프로젝트 전시의 기간제근로자로 채용됐다. 전시를 끝내고 계약기간 마지막 날 울음 스위치를 켠 것처럼 엉엉 울었던 여자. 눈물이 어찌나 많이 떨어지던지 대걸레를 가져와서 닦아야 할 정도였다. 루다는 수분부족으로 쇼크가 오는 건 아닐까 하고, 잠깐 걱정하기도 했을 만큼 울어댔다. 나는 루다가 엉엉 우는 것을 지켜보다가 문득 비오는 날 슬피 우는 개구리라는 동화가 생각났는데 정확히 내용이 뭐였는지 기억이 나지 않았지만 비오는 날 개구리가 냇가에 앉아 울고 있는 장면만은 또렷하게 기억이 났다.

　　루다가 상갓집 맏며느리처럼 곡을 하며 울어대는 통에 당황한 팀장은 자리를 떠났고 전시장 한 가운데 루다와 나만 남아있었는데 그녀는 마치 어깨춤을 추고 있는 것처럼 울다가 어느 순간 웃고 있었다. 나는 순간 울다가 웃으면 엉덩이에 털이 난다는 말이 떠올랐지만 말을 하는 것도 그렇고, 상상을 하는 일도 그렇고 모든 게 부적절 한 것 같 아서 서둘러 그 생각을 접었다.

팀장은 늘 계약직 직원들에게 계약연장의 희망을 품게 했다. 팀장의 오래된 버릇이었다. 도대체 매번 왜 그런 희망고문을 하는지 알 수 없 었지만 분명 고문관들만이 느낄 수 있는 어떤 종류의 희열이 있을 것 이라고 생각했다. 실망과 좌절을 맛보기 위해 기대와 희망을 갖는 것 은 인간들의 어리석은 고질병이기 때문이다. 고문관이라면 아주 유명 한 고문기술자의 이름이 단연 떠올랐는데 그와 맞물려서 사람은 모름 지기 기술을 배워야 한다는 할머니의 말도 함께 생각났다. 할머니는 내가 무슨 기술자가 되길 바랐던 걸까. 나는 그런 생각을 하다가 어쩌 면 무엇이 되는 것보다 무엇이 되지 않는 것이 어쩌면 더 어려운 일일 지도 모른다고 생각했다. 그런 점에서 기술적으로 보자면 루다는 눈 물을 흘리는 기술 하나는 타고난 사람 같았다. 사람이 그렇게 눈물을 떨어뜨리는 경우를 본 것은 루다가 처음이었다. 그러고 보면 지상에 울보계라는 것이 있다면 그쪽에서는 분명히 뜻을 이루었다고 생각했 다. 이름 덕분인지 생각보다 참 많은 것을 이룬 여자라고 생각했다.

∞

루다와 나는 자주 술을 마셨다. 루다는 닭으로 만든 음식을 좋아했 다. 그러나 닭을 잘 먹지는 않았다. 루다는 그 이유를 돼지나 소보다는 닭이 조금은 덜 아플 것 같아서요, 라고 말했다. 그래서 우리는 논현

우리는 무엇을 이루었을까

역 3번 출구 앞에 있는 숯불바베큐집에 자주 갔다. 루다는 소주를 즐겨 마셨는데 소주를 마실 때 마다 한 잔 두 잔 하고 잔 수를 세어가며 마시는 버릇이 있었다. 정작 닭고기는 달팽이가 상추를 뜯어먹듯 톡톡 건드리는 정도였고, 차가운 얼음물만 빨대로 수혈하는 드라큐라처럼 빨아 먹었다. 루다가 눈물이 많은 이유는 물을 많이 마시기 때문인 것 같았다. 실제로 화장실도 자주 가지 않는 것으로 보아 수분을 전부 눈물로 쏟아내는 것이 맞는 것 같았다. 루다가 술을 마시면 갑자기 느닷없이 울어재끼는 경우가 많았기 때문에 나는 그렇게 생각하는 것이 영 허무맹랑한 추정은 아니라고 생각했다. 그러다가 조금 더 취하면 눈을 크게 뜨고 웃어댔다. 웃으면서 눈물을 흘릴 때도 있었다. 그리고는 대뜸 무택 씨 내가 무엇을 이룰 수 있을까요? 라고 묻고는 했다. 나는 루다가 그럴 때 마다 그냥 조용히 고개를 주억거렸다. 루다는 취하면 오래된 남자친구 이야기를 자주했다. 도저히 그 인간하고 헤어질 수가 없다고 말했고 나는 그때마다 헤어질 수 없는 게 아니라 헤어지고 싶지 않은 것이라고 말해주었지만 술이 취한 루다는 내 얘기를 잘 듣지 않았다. 나는 그동안 꽤 많은 여자를 만났지만 6개월을 넘겨본 적은 없다. 대부분 금세 흥미를 잃었기 때문이다. 연애도 인간만큼 뻔해서 호르몬이 변하는 일정시간이 지나면 한여름 활엽수를 바라보고 있는 것처럼 무료해졌다. 나는 언제고 루다가 쌍떡잎식물로 보일 수 있다는 불가피성을 항상 허리춤에 차고 다녔다. 그러나 루다는 무료해질 틈도 주지 않고 먼저 떠나버렸다. 회사와 맺은 근로계약이 만료됨과 동시에 나와의 관계도 끝이 난 사람처럼 그렇게 가버렸다.

∞

루다는 이곳을 떠나 무엇을 이루었을까.

나는 그때 사람 인연이라는 게 참 질기다는 말을 믿지 않기로 했다. 그것은 엄마가 자주 하던 말이었다. 엄마는 늘 사람의 인연은 쉽게 끊어지지 않는다고 말했지만, 그보다 담배가 더 끊기 어려운 것 같았다. 엄마는 그 말을 하는 순간까지도 담배를 물고 있었기 때문이다. 엄마는 늘 두 가지를 함께 실천하는 사람이었다. 산다는 것과 죽는 다는 것. 엄마는 끊임없이 무언가를 사랑했고, 그만큼 몰락했다. 나는 어려서부터 그런 엄마의 몰락을 지켜보며 자랐다. 나는 그런 엄마 덕분에 점점 인간이 되어가고 있다고 느끼기도 했다.

∞

루다가 떠나고 나는 그동안 루다와 함께 먹은 닭이 몇 마리나 될까, 하고 생각했다. 또 루다가 말한 소나 돼지 같은 식용동물의 통증에 대해서도 생각했다. 그리고 전세계적으로 고기로 도륙당하는 수만 마리 동물들의 생과 나의 생을 생각했다. 그런 생각들을 하면 할수록 그런 생각을 하는 것이 무슨 의미가 있나, 하는 생각이 들었다.

∞

우리는 무엇을 이루었을까

루다는 대뜸 결혼을 하게 되었다고 말했다. 나는 되었다는 피동사가 신경 쓰였지만 내색하지 않았다. 루다는 함께 일했던 직원들과 밥을 먹자고 했다. 1년 만에 연락을 해서 대뜸 결혼이라니. 밥이라니. 이게 무슨 경우인가, 하고 생각했다. 그리고는 루다가 결혼을 하는 것이, 결혼을 하는 루다와 밥을 먹는 것이 도대체 무슨 의미가 있나, 하고 생각했다. 나는 남들처럼 일이 바쁘다는 핑계를 대고 피해볼까 했지만 내가 하는 일이 바쁠 수 없다는 것쯤은 루다가 가장 잘 알고 있었다. 게다가 나는 적어도 루다에게 만큼은 인정머리 없는 사람이 아니었다. 더더욱 이제 와서 그런 인간으로 남고 싶지도 않았다.

∞

　브루스의 인생은 회식자리처럼 늘 소란했다. 주변에는 늘 요상한 행동을 하는 사람들로 복닥거렸다. 직장생활을 하면서 인생이란 것도 복닥거리는 회식과 비슷하다고 생각한 적이 많았다. 연신 위하여를 외쳐대지만 도대체 무엇을 위하자는 것인지는 알 수가 없는. 수 십 분 동안 똑같은 얘기를 마치 처음 내뱉는 말처럼 떠들어대고 있는 상사의 경험담이나 충고처럼 우리의 인생도 결국 하찮은 이야기를 계속해서 반복하고 있는 것은 아닐까. 그러다 결국 나도 상대도 누군인지조차 구분하지 못할 정도의 만취 상태가 되어 뿔뿔이 흩어지고 나서야 그 요란했던 술자리에서 죽기 살기로 내뱉었던 말들이 결국은 아무 것도 아니었다는 것을 깨닫게 되는, 그 반복되는 무의미의 순환. 그것이 인생이 아닐까. 브루스는 어쩌면 매일 최선을 다해 그 무의미에서 벗어나기 위해 질주하고 있었는지도 모른다. 그는 결국 자신의 속도를 이기지 못했지만 한 가지 확실한 것은 끝까지 자신을 신뢰했다는 사실은 분명했다. 그는 언제나 불안해하지 않았다. 그런점에서 나는 브루스가 누구보다 성공한 인간이었다고 믿는다. 그는 자신의 마지막 까지 단 한순간도 자신의 시간을 허투루 허비하지 않았다. 늘 죽음이라는 명함을 주머니에 넣고 다니는 사람처럼 하루를 살았다. 단 1초도 남에게 자신의 시간을 주지 않겠다는 태도로 제멋대로였다. 브루스는 매일 스스로가 가장 원하는 일에 몰두했다.

∞

브루스는 1953년 7월에 태어났다. 그가 태어나던 시각에 판문점에서는 유엔군 사령관과 북한군 사령관이 한창 휴전 논의를 하고 있을 때였다. 물론 그의 탄생과 한국전쟁과는 아무 관련이 없다. 국가가 두 개의 이념으로 갈라졌을 때, 그가 어머니의 몸을 가르고 나왔을 뿐이었다. 그가 태어난 집은 대대로 만석꾼 집안이었다. 오랜 전쟁으로 많은 것이 불타고 사라졌지만, 전답은 그대로 남아 있었다. 브루스는 그 덕에 평생을 노동하지 않고 살았다. 그는 그것이 자랑할 일은 아니지만 그렇다고 부끄러워할 일도 아니라고 말했다. 나는 브루스와 만나면서 제법 많은 소설을 썼다. 내가 브루스를 브루스라고 칭한 것을 그가 끝내 알지 못했듯이 내가 소설을 썼다는 것을 끝내 아무도 알지 못할

우리는 무엇을 이루었을까

것이다. 그 누구도 인간이 존재하는 의미 따위를 끝끝내 알아낼 수 없듯이. 나는 브루스의 말대로 그저 건너가고 있을 뿐이다. 그렇다. 인생을 건너가는 동안 약간의 술과 먹먹한 소설 한 편이 있다면 그걸로 됐다.

우리는 무엇을 이루었을까

기필코 슬픈 계절

루다가 오랜만이라며 어색하게 인사를 건넸다. 경칩이 지난 지 얼마
되지 않았지만 날씨는 제법 쌀쌀했다. 나는 경칩…개구리가 잠에서 깨
어난다, 라고 속엣 말을 했다. 그러자 1년 전 이맘 때 루다가 비 오는 날
슬피 우는 개구리처럼 울어댔던 일이 생각났다. 루다는 여전히 개구리
처럼 눈이 커다랗고 동그랬다. 루다의 옆에는 계약기간 중에 지역문화
재단 정규직으로 이직한 정선배와 계약기간 2년을 다 채우고 직장생
활은 자신과 맞지 않았다며 다시 그림을 그려야겠다고 사표를 낸 윤
이 쌍쌍바처럼 어깻죽지를 맞대고 서 있었다. 윤은 그동안 그림을 그
렸다기보다는 그림에 얻어맞다 온 사람처럼 몰골이 초췌했다. 작가생
활은 어때요? 나는 윤이 화가보다는 거지가 됐다고 생각했지만 그림
에도 아무말이라도 한마디 정도는 붙여주는 것이 좋을 것 같아 물었
다. 좋지. 개똥밭에 굴러도 이승이 낫다고 하잖아? 하하하. 그는 토끼
의 간을 가져왔다는 바다거북같은 표정으로 말했다. 나는 그에게 더

이상 미술과 관련한 말을 붙이지 않는 편이 좋을 것 같다고 생각했다. 루다는 결혼식 헤어스타일을 미리 연습이라도 하듯 앞머리를 훤히 까고 앉아 있었다. 루다가 눈을 동그랗게 뜨고 인사를 건네는 동안 나는 계속 그녀의 이마를 봤다. 그때 모름지기 뭐든 까봐야 아는 법이라고 생각했다.

　혜화역 4번 출구 앞에는 여기저기 개강 파티를 열어대는 대학생들로 복닥거렸다. 엄마가 늘 말하던 '먹고 대학생' 이라는 지칭이 결코 틀린 말은 아니라고 생각했다. 인간자체가 먹는 일을 멈추면 생존할 수 없는 존재가 아니던가. 먹고 먹히는 일들의 반복. 그것이 인생의 전체라고 생각했다. 나는 평소에 동물의세계를 즐겨보았는데 가젤을 사냥하는 사자무리들을 보고 있으면, 매일 저렇게 누군가를 잡아먹고자 하는 고민만 하는 인간무리들이 떠올라 알 수 없는 연민을 느꼈다. 탑골공원에는 노인들이 많고 대학로에는 대학생들이 많은 게 당연했지만 나는 언제나 그런 장면을 목도할때마다 흠칫 놀라곤 했다. 무엇이든 같은 종이 군집을 이루고 있는 것들은 무섭고 섬뜩했다. 마치 사체를 뜯어먹기 위해 모여든 하이에나 떼나 쌀자루를 쏟아 놓은 것처럼 새하얗게 꿈틀대는 구더기 떼처럼. 그것은 한 움큼의 비애나 고통을 안고 홀로 쓰러져있는 고독사를 연상하게 만들었기 때문이다.

　어느 자리에서건 설레발을 치는 윤이 소불고기를 맛있게 하는 집이 있다며 그쪽으로 일행을 안내했다. 마로니에공원을 가로질러 아르코미술관 뒤쪽에 자리한 허름한 건물 2층이었다. 계단이 좁아 한사람만 겨우 올라갈 수 있었는데 자칫하면 앞사람의 엉덩이에 코를 박을 것처

　기필코 슬픈 계절

럼 경사가 급했다. 그래서 내 뒤에 루다가 따라 올라오고 있다는 사실이 여간 신경 쓰이는 것이 아니었다. 나는 루다의 코가 내 엉덩이에 부딪힐 정도로 가까이 있을 거라는 생각에 계속 괄약근에 힘을 줬다.

윤이 뒤따라오는 여자들을 보며 쭈뼛거리고 있는 동안 내가 자리를 잡았다. 식당 절반은 신발을 벗지 않아도 되는 입식테이블이었고 절반은 온돌방이었다. 나는 신발을 벗고 온돌방 구석의 좌식테이블에 자리를 잡고 벽에 기대어 앉았다. 루다가 무릎을 조금 덮는 고어드스커트를 입고 있었지만 그보다 얼른 내 엉덩이를 바닥에 깔아뭉개고 싶다는 생각이 먼저였다. 루다도 별 거부감없이 구두를 벗고 내 옆에 앉았다. 모두 자리에 앉았을 때 나는 루다와 나의 관계에 대해 벽에 걸려 있는 메뉴판을 넘성거리며 생각했다. 메뉴판처럼 명확하게 어떤 사이라고 정리할 수 있을 것 같지 않았다.

나는 그녀의 결혼식에 축의금으로 얼마를 넣어야 하는지 생각했다. 뭐든 안주고 안 받는 것이 훨씬 편하고 합리적이라는 생각이 들었지만 더 깊이 생각하고 싶지는 않았다. 그냥 그날 마음이 가는대로 내야겠다고 생각했다. 그보다 붉은색의 고기가 점점 잿빛이 되어가는 것을 지켜보다가 문득 이상한 생각이 들었는데 소는 자신이 간장과 물엿이 적절히 섞인 양념장에 섞여 말도 이상한 불고기라는 이름의 음식이 될 것 이라는 것을 알고 있었을까? 더구나 지구 반대편에 한국이란 나라의 후줄근한 골목의 식당에서 나 같은 사람의 위 안에서 녹게 될 것이란 것을 알고 있었을까. 이 소는 생전 어떤 표정으로 살았을까. 루다가 얘기했듯이 뼈에서 살을 정육하는 동안 많이 아팠을까? 그런 생각을 하다 보니 식욕이 조금씩 떨어지는 것 같았다. 그러나 건너편 테이블에 허벅지가 하얗게 드러나는 짧은치마를 입고도 보란 듯이 양반다리를 하고 앉아 있는 젊은 여자를 보자 모든 생각들이 정리되는 것 같기도 했다. 나는 왜 여자의 허벅지를 쳐다보고 있는가에 대해 생각했고 그런 생각을 하면서도 계속해서 여자의 허벅다리를 흘끗 흘끗 쳐다보았다. 나도 모르게 자꾸 시신경이 그곳으로 빨려 들어갔다. 할 수만 있다면 여자에게 무릎담요를 빌려주거나 당장 안대를 끼고 싶을 정도로 통제가 안됐다. 도대체 내가 왜 다른 사람의 살을 힐끔거리고 있는지 모르겠다고 생각하면서도 계속해서 동공이 돌아가는 것을 멈출 수 없었다. 순간적으로 내 뺨을 한 대 후려치고 싶었지만 갑작스럽게 그런 행동을 하게 되면 일행들과 한동안 상당히 어색한 시간을 보내야 할 것 같아서 그러지는 않았다. 아마 혼자 있었더라면 벌써 두 세번은 뺨을 후려쳤을 것이다. 나는 서둘러 연거푸 소주를 들이켰다. 그리고 났더니 조금 마음이 편안해지는 것 같았다. 나는 지금껏 자기 자신을 통제하는 동물을 본 적이 없다. 인간은 정말 아무것도 아니다. 나는 소주를 마시면서 그 생각을 계속 했다.

그들은 내가 그러고 있는 동안 가게에서 흘러나오는 아이돌 그룹의 가십에 대해 이야기하다가 불고기 소스의 달달함의 경위에 대해 추측해보았고 샤넬과 불가리 향수의 차이에 대한 대화를 이어나갔다. 나는 그 어느 대화에서도 끼어들 수 없어 혼자 소주만 조금조금 마셨고 가끔 흠, 하고 웃어주었다. 루다가 봉투에 손 글씨로 무택 씨라고 쓴 청첩장을 건네주었다. 청첩장은 가운데 흰색 나비한마리가 붙어있었고

기필코 슬픈 계절

날개를 벌려 접지를 풀고 펼쳐보는 평범한 3단 디자인이었다. 다들 필요 없는 보험을 마지못해 가입해주고 있는 표정이었지만 하나같이 청첩장을 펼쳐보며 예쁘다, 라고 말했다. 나는 아무 말도 하지 않았다. 그 사람 아버지가 외교관인데 내년에 스페인으로 나가셔. 그래서 급하게 식을 올리게 됐어요. 루다가 예비 시아버지의 직업에 대해 굳이 물어보지 않았는데 말을 꺼냈다. 루다씨 성공했네, 라고 윤이 말했다.

신랑은 어떻게 만났어?

그냥 뭐…. 소개로 만났어요.

루다가 나를 힐끔 쳐다보고 말했다. 나는 1년 전에 무택 씨 제가 무엇을 이룰 수 있을까요? 라고 물으며 오래 된 남자친구와 헤어지지 못하겠다고 말하던 루다의 얼굴을 떠올렸고, 그때의 루다와 지금의 루다는 많이 다른 것 같다고 생각했다. 무엇을 이룬 사람 같아 보이기도 했고 아닌 것 같기도 했다. 그런 생각을 하다 보니 순간 세계가 지독하게 무료해졌다.

불고기가 절정으로 익어갈 무렵 나는 그들과 있는 것이 절정으로 지루해졌다. 루다는 계속해서 서울에서 전학 온 깍쟁이처럼 친밀도를 급하게 쌓아올리려고 노력하고 있었다. 어딘가 조급해 보였는데 결혼식에 들러리로 앉아 있어 줄 사람을 한명이라도 더 모아야한다는 강박에 시달리고 있는지도 모른다고 생각했다. 1년 사이에 그 정도로 시시한 인간이 된 것 같아 여간 실망스러운 게 아니었다. 치킨에 소주를 마시며 내가 뭘 이룰 수 있을까요, 라고 염세적으로 묻던 루다는 분명 아니었다. 나는 이제 모든 걸 다 이루었으니 꿈이니 뭐니 하니 청승은 그만 떨고 싶어요, 라고 말하고 있는 것 같았다. 1년 만에 사람이 저렇게 바뀔 수 있다니. 나는 루다에게 인간은 절대 바뀌지 않아, 라고 말했던 과거의 발언을 취소해야겠다고 생각했다.

루다는 가끔 박수를 치며 정선배의 재미없는 농담에 반응하곤 했는데 그다지 재미있는 내용은 아니었다. 특히 남편한테서 묵은 오이지냄새가 난다고 했을 때 가장 크게 웃었는데 나는 그것이 웃을 일인지 모르겠다고 생각했다. 대부분 정선배가 대화를 주도해나갔고, 나는 대화에 끼어드는 일보다 소주를 따라 마시는 일에 열중했다. 사람들과 함께 살아간다는 것은 매우 어려운 일이다. 특히 수다스러운 사람들을 견디는 것이 그렇다. 나는 그들과 함께 있는 것이 힘들었다. 그들의 대화를 듣고 싶지 않았기 때문이다. 게다가 불고기까지 형편없는 맛이었다. 간장과 설탕을 넣고 끓인 음식이 이렇게 맛이 없는 경우는 굉장히 드문 일이었다. 윤은 대화가 계속 정선배를 중심으로 돌아가는 것을 못마땅해 하며 끼어들 틈을 연신 노리고 있었지만 좀처럼 그런 기회가 생기지 않자 장마철처럼 얼굴색이 급격하게 흐려졌다.

우리 네 명은 같은 부서의 계약직으로 근무했다. 게 중에 아직까지 남아 있는 것은 내가 유일했다. 계약이 만료된 윤이 짐을 정리하면서 이렇게 말한 적이 있었다.

무택 씨, 강한 놈이 오래 남는 것이 아니라, 오래 남는 놈이 강한 거야. 존버해!

나는 회사라는 것도 그렇고 모든 인간관계도 그렇고 오래 매달리기처럼 버틴다고 버틸 수 있는 문제는 아니라고 생각했다. 뭐든 어느 한

기필코 슬픈 계절

쪽에서만 매달리면 관계는 반드시 기울고 결국 쓰러지기 마련이다. 매
달리는 일은 긴팔원숭이나 하는 일이다.

　그나저나 무택 씨, 정규직전환 어떻게 됐어?

　정선배가 한마디도 없는 내가 신경이 쓰였는지 토크쇼 사회자처럼
소외된 나를 배려한다는 태도로 갑자기 물었다.

　무택 씨는 잘 됐으면 좋겠다.

　윤이 는, 이라는 조사를 활용해 자신은 그런 기회조차 없었다는 걸
강조하며 말을 보탰다.

　그래도 얼마나 좋아. 정규직전환 심의위원회라니. 우리 때는 그런 것
도 없었잖아.

　나는 매번 그 정규직전환심의위원회인지 우주방위위원회인지 하는
회의가 있을 때마다 나를 도마에 놓고 칼질을 해대는 기분이라고 말
하려다가 그만두었다. 그것만으로도 나는 이미 패배했다고 느꼈다. 벌
거벗은 생닭처럼 도마 위에 올라가 있는 것 같았다. 결과가 무엇이든
분명한 실패라고 생각했다. 그들이 무엇을 결정하든 나는 이미 산산조
각이 났다. 폐부 깊숙이 상처가 났다. 그럼에도 나는 매번 아무렇지 않
은 사람처럼 굴었다. 정말로 아무렇지 않고 싶었기 때문이다. 직장도 2
년마다 전세계약이 끝나면 다른 집을 구해야 하는 일과 다르지 않다
고 생각했다. 언제든 형편에 맞는 곳으로 옮기면 그만이다. 누구도 원
망할 필요는 없다. 그들의 의견은 신경 쓸 필요가 없다. 나는 시간이 날
때마다 그렇게 생각했다.

　나 하나 때문에 노조가 분열이 됐다고, 그렇게까지 하면서 정규직이

되고 싶냐고. 내가 정규직이 되면 공정하게 시험 봐서 정규직이 된 사람들은 뭐가 되냐고. 나는 그런 말을 들을 때마다 시험만이 공정함의 절대가치처럼 여기는 편협함에 대해 지적하고 싶었지만 언제나처럼 가만히 있었다. 나는 줄곧 이렇듯 가만히 있었는데 인간들은 참 말이 많았다. 인류는 결국 언어 때문에 멸망할 것이다.

갑자기 불어닥친 정규직전환 홍수에 휘말려들어 발가벗겨진 게 어디 내 탓인가. 나는 때때로 억울했지만 이렇게까지 된 마당에 끝까지 가만히 있기로 했다. 무엇이 됐든 그들이 결론을 내도록 가만히 놔두기로 했다. 신경 쓸 이유가 전혀 없다. 어차피 나는 줄곧 혼자였다. 그리고 앞으로도 그럴 것이다.

구질구질한 인간은 딱 질색이다. 무엇에도 비굴하게 매달리고 싶지 않다. 인간은 하찮고 인생은 하질이다. 모든 것은 끝이 있다. 인간이 평생이라고 말하는 시간도 우주의 시간으로 보면 결국 찰나. 그렇게 생각하면 모든 것이 편해졌다. 불안은 지나친 욕심에서 비롯된다. 나는 나만 바라보면 된다. 인간은 기본적으로 허영의 동물이다. 나는 영원할 거라는 착각이 오만을 낳는다. 나도 죽고 너도 죽고 존재하는 모든 것들은 전부 죽는다. 전부 사라지게 돼 있다. 모든 것은 사라진다. 인간은 지구상에서 존재하는 것들 가운데 제법 빨리 사라지는 존재 중에 하나다. 분명 인간이 회사나 돈보다 먼저 사라질 것이다. 그런 의미에서 그깟 정규직 엿이나 먹어라, 하고 생각하면 그만이었다.

내가 별다른 반응을 보이지 않자 정선배가 나보고 어떻게 하면 사람이 저렇게 침착하고 신중할 수 있냐고 말했다. 정선배는 참으로 순진한 사람이었다. 그만큼 나이도 먹고 결혼도 했으면 사람이 자본이나 사랑처럼 추잡해 질 법도 한데 그런 느낌이 전혀 들지 않았다. 그래서 답답하기도 했고 한편으로는 그것 때문에 미소를 머금게 하기도 했다. 그런면에서 참 괜찮은 사람이라고 생각했다.

나는 젓가락질도 시들해졌고, 불판에 말라붙어 있는 불고기에 육수를 부어 줄 마음도 없는 것 같으니 그만 정리하고 일어나는 것이 좋겠다고 생각했다. 그런 의미로 남아있는 소주를 비웠다. 윤이 내 말을 들었는지 2차 얘기를 꺼냈다. 커피를 마시자고 했다. 나는 술을 마시다가 커피를 마시자는 몰상식에 순간 화가 났지만 아무 말도 하지 않았다.

루다는 오늘 시아버지라도 앞에 앉아 있다고 생각했는지 연신 말을 아꼈고 술도 입에 대지 않았다. 나는 그것이 조금 못마땅했다. 불고기 4인분과 소주3병 그리고 공깃밥 두 개의 값을 머릿속으로 계산하면서 내가 낼 축의금을 생각했다. 딱 얻어먹은 만큼만 내고 싶은 심정이었다. 루다는 가끔 내 눈치를 봤지만 오늘은 루다와 어떤 말도 하고 싶지 않았다. 나가서 커피를 마시는 것도 그렇고 오늘은 그들과 함께 있는 모든 것이 손해라고 생각했다. 나는 할 일이 있어 집에 일찍 들어가야겠다고 말했다. 정선배가 그런 나를 보고 참 올바른 사람이라고 말했다. 아마 정 선배는 내가 갑자기 큰 병에 걸렸다고 거짓말을 하면서 500만 원만 빌려달라고 하면 어떻게든 마련해 줄 사람이었다. 사십이 다 됐는데도 원소 같이 순수한 사람이었다.

밖으로 나오니 날이 어두워져있었다. 내 마음도 딱 그만큼 어두워져 있는 것 같았다. 골목은 술에 취한 대학생들이 뒤엉켜 넘어지기도 했고 끌어안고 울고 웃기도 했다. 스무 살이 주는 치기에 취해서 모두 상기되어 있는 것 같았다. 맨발로 자갈밭을 걷는 인간들처럼 펄쩍펄쩍 뛰어다녔다. 나에게도 저런 시절이 있었던가, 하고 생각했다. 미래에 대한 막연한 기대로 불어오는 바람을 정면으로 맞서겠다는 치기가 있었던가. 벌써부터 화단에 먹은 것을 게워내는 학생들도 보였다. 나 역시 홀짝홀짝 마신 소주에 제법 취기가 돌았다. 담배생각이 간절했다. 근처에 편의점이 있나 하고 두리번거리고 있을 때 그럼 결혼식 때 봐 무택 씨, 라고 정선배가 말했다. 나는 그렇게 그들과 헤어졌다. 루다가 남겨진 나를 힐끗 돌아보았으나 신경 쓰지 말아야겠다고 생각했다.

나는 곧장 편의점에 들어가 평소에 피우지 않는 말보로레드와 우유를 하나 샀다. 마로니에 공원 뒤편 아르코미술관 붉은 벽돌 계단에 앉아 담배에 불을 붙였다. 담배는 역하고 독했다. 순간 구역질이 났다. 내가 왜 이렇게 구역질나는 연기를 들이마시고 있는지 곧바로 뱉어낼 거면서 왜 이런 멍청한 짓을 반복하고 있는지 생각해보았지만 끝내 이유를 알 수는 없을 것 같았다. 왜 그런지는 모르겠지만 담배는 늘 죽음을 떠올리게 했다. 여러 종류의 죽음 중에 으뜸은 암시도 없이 코를 드르렁 드르렁 골며 꿈속을 여행하다 그냥 그곳에 눌러 살기로 한 것처럼 잠에서 깨어나지 않는 죽음이라고 생각했다. 잠자는 숲속의 공주처럼, 꿈꾸는 거인처럼 이불을 아주 곱게 덮고 잠에서 깨어나지 않는 것이다. 나는 다른 복은 몰라도 죽는 복 만큼은 있길 바랐다. 조용하고 깊고 어두운 죽음. 파도처럼 아름다운 죽음에 대해 담배 연기를 길게 내뱉으면서 생각했다.

담배연기 덕분인지 눈앞이 핑핑 돌았다. 이대로 모든 게 돌아버렸으면 좋겠다고 생각했다. 나는 루다를 생각했다. 루다의 결혼식에 대해서 루다의 이마에 대해서 루다의 눈물에 대해서 루다의 남은 인생에 대해서 이렇게 생각해도 되나 싶을 정도로 계속 루다를 생각했다. 루다는 커피를 마시고 있겠지. 지나치게 뜨겁고 묵은 진간장처럼 시커먼 아메리카노를. 정선배의 남편이 속옷을 어떻게 벗어놓는지 칫솔은 얼마나 오래 사용하는지 따위의 얘기를 들으면서 호로록록 웃고 있겠지. 그러다 커피가 식고 모든 것이 시들해지면 그렇게 모두 헤어지겠지. 나는 우유를 한 모금 마시고 담배연기를 한 모금 마시는 일을 반복하며 그렇게 앉아 루다를 생각했다. 그러자 문득 어디로든 아무런 생각이 나지 않는 곳으로 가야겠다고 생각했다.

나는 두꺼운 뿔테안경을 쓰고 있는 택시기사에게 홍대로 가주세요, 라고 말했다. 기사는 젊었다. 20대 후반 쯤으로 보였다. 젊음이 앉아 있기에는 어색한 공간이라고 생각했다. 움직이지 않는 젊음은 젊음이 아닌 것 같았다. 그런 의미에서 택시기사의 눈빛은 생의 기운이 다한 노파의 눈빛과 비슷했다. 젊은 기사는 사람이 아닌 사람처럼 아무 말도 없이 운전만 했다. 마치 자율주행 자동차를 타고 있는 것 같았다. 그렇다고 대뜸 대통령을 욕하거나 야당이 어쩌고 하면서 질문을 쉴 새 없이 퍼붓는 쪽보다는 훨씬 나았지만 나는 그의 경직된 젊음에 애잔함을 느꼈다. 택시는 40분을 달려 정확히 홍대 정문에 멈춰 섰다. 그는 신호와 규정속도를 정확히 지키며 주행을 했다. 앞으로의 그의 인생도 그러할 것 같았다. 그는 무엇을 위해 운전을 하는가. 나는 백미러를 통해 그의 표정을 잠깐씩 지켜봤지만 변화가 없었다. 심지어 신호대기에서 끼어드는 앞 차량을 보고도 심상한 표정을 유지했다. 나는 그가 이대로 운전대를 잡고 한강으로 뛰어든다고 해도 전혀 이상한 일은 아닐 거라고 생각했다. 그래서 창문을 조금 열고 출입문 잠금장치를 확인했다. 어디에서건 탈출구를 확보하는 건 내 오래된 습관이었다. 죽음만큼은 내가 결정하고 싶었기 때문이었다. 택시가 멈추고 내가 카드를 내밀었을 때도, 영수증이 혓바닥처럼 드르륵 단말기에서 기어 나왔을 때도, 문을 열고 오른발을 먼저 도로에 내려놓았을 때까지도 그는 아무 말도 하지 않았다. 우리는 인생에서 무려 사십분이나 단 둘이 손만 뻗으면 닿을 아주 가까운 공간에 앉아 있었지만 말 한마디 섞지 않고 헤어졌다. 나는 조용히 그의 인생에 건투를 빌어주었다.

홍대 앞 번화가 역시 놀이공원처럼 붐볐다. 클럽들이 즐비한 골목에 들어서자 인간들이 과자부스러기를 이고 가는 개미떼처럼 줄을 서서 걸어 다녔다. 나는 고삐같이 커다란 피어싱을 달고 당나귀처럼 지루한 표정을 하고서는 휴대폰만 들여다보는 녀석이 입구에 서 있는 클럽 안으로 들어갔다. 이곳을 선택한 이유는 순전히 당나귀 같은 녀석이 마음에 들었기 때문이었다. 언제 기회가 되면 상냥하게 말이라도 한 번 걸어봐야겠다고 생각했다. 커다란 당근이 잘 어울릴 것 같은 얼굴도 그렇고 사촌이 산 아파트 가격이 아무리 올라도 눈 하나 깜짝하지 않을 것 같은 시큰둥함이 마음에 들었다.

나는 드라이아이스인지 담배연기인지 모를 뿌연 연기로 가득한 지하의 클럽 안에서 두 시간 정도 맥주를 마시며 춤을 추는 인간들을 지

기필코 슬픈 계절

켜봤다. 대부분이 사람이라기보다는 서낭신이 붙어 있는 나무에 매달린 헝겊 조각들처럼 펄럭거렸다. 나는 주로 DJ박스 바로 밑에 있는 JBL이라고 적혀있는 사람만한 커다란 스피커에 등을 기댄 채로 서서 맥주를 마셨다. 음악이 쾅쾅 울릴 때 마다 안마기처럼 등을 두들겨 대는 바람에 멀리서 봤다면 아마 혼자서 춤을 추고 있는 것처럼 보였을 것이다.

혼자 왔어요?

머리칼을 빨갛게 물들여 빨강머리 앤을 떠올릴 수밖에 없는 여자가 말을 걸어왔다. 여자는 빨간 머리칼을 목뒤로 쓸어 넘기고 무릎을 굽히면서 골반을 좌우로 꺾는 동작을 자주했는데 그 모습은 빨간 머리 앤과는 다소 거리가 있어 보였다. 가끔 무척추동물이 아닐까 하고 착각할 정도로 몸을 비틀어대는 여자의 귀에 대고 그만하고 나가서 맥주나 마시자고 말했다. 우리는 근처 바에 가서 위스키 한 병과 맥주 7병을 나눠 마셨다. 둘 다 엉망으로 취했고 오래된 연인처럼 추근추근 근처 모텔로 향했다. 모텔에 들어서자 여자는 격하게 내 옷을 벗겼다. 그러면서 뭐라고 욕을 했던 것 같기도 했는데 알아 들을 수 없는 소리였다. 나는 그것에 기분이 조금 상해 여자를 차분히 제압한 후에 유리상자 같은 샤워실로 들어갔다. 보일러 시설이 엉망인지 찬물을 한바가지 뒤집어쓰고 나서야 따뜻한 물이 흘러 나왔다. 나도 모르게 씨팔, 이라고 욕을 내 뱉었다. 그것이 찬물 때문인지 그냥 스스로에게 내뱉은 욕 인지는 알 수 없었다.

내가 샤워를 하는 동안 여자는 침대에 얼굴을 묻고 여전히 계속해서 뭐라고 욕을 하는 것 같았다. 그러다가 벌떡 일어나 담배를 꺼내 물었는데 여러번 시도 끝에 어렵사리 담배에 불을 붙였다. 나는 여자가 저러다가 침대에 불을 붙이는 건 아닐까, 걱정스러운 마음에 샤워를 하는 동안 서리가 잔뜩 낀 유리문을 손바닥으로 닦아대며 여자를 지켜봤지만 다행히 여자는 재떨이 앞에 공손히 앉아 담배를 피웠다. 방금 전까지만 해도 온갖 범죄를 서슴없이 저지를 것처럼 굴더니 갑자기 다른 사람이 된 것 같았다.

일이 끝나고 여자는 나에게 수고했어, 라고 말했다. 그 말을 들은 순간 나는 지독한 모멸감에 사로잡혔다. 보통 사정 후에 느끼는 허탈함까지 더해져 정말 죽고 싶다는 생각이 들기도 했다. 그러나 역설적이게도 그 순간 나는 극명하게 살아있다고 느꼈다.

길지 않은 잠을 자고 눈을 떴을 때 시퍼런 새벽 어스름이 여자의 알몸을 조용히 핥고 있었다. 밤새도록 누군가 내 머리통을 걷어찬 것처럼 머리가 아팠다. 관자놀이를 누르며 조심히 이불을 걷어내고 테이블 위에 걸쳐 놓았던 티셔츠를 챙겨 입었다. 하얀 침대 커버 위에 여자의 빨간 머리칼이 합죽선처럼 넓게 펼쳐져 있었다. 언뜻 보면 머리에서 피가 번져 침대를 물들인 것처럼 보였다. 카메라를 하이앵글로 잡으면 미장센을 무엇보다 중요하게 여기는 스릴러 영화의 그로테스크한 장면 중에 하나가 될 것 같았다. 그러나 내가 그 영화의 주인공이 되고 싶지는 않았다.

나는 여자의 숨소리를 가까이에서 확인하고 서둘러 여자에게서 눈길을 돌렸다. 그리고 옷을 입는 동안 거울을 보지 않으려고 노력했다. 그 상태로 거울을 들여다본다면 나도 모르게 침을 뱉을 것 같았기 때문이다. 무엇 때문에 이런 기분이 드는지 알 수 없었지만 나는 벗어놓은 바지처럼 무너진 마음을 억지로 추스르려고 노력했다. 모든 것이 엉망으로 망가져버렸다고 느꼈다. 내장 깊숙이 자리한 고통이었다.

나는 서둘러 모텔을 빠져나왔다. 다시는 몸과 마음이 피폐해지는 욕망에 스스로 뛰어들지 않겠노라, 다짐했다. 그 순간만큼은 진심이었다. 락스 냄새와 쾌쾌한 곰팡내가 뒤섞인 어두침침한 모텔 복도를 걸어 나오면서 지독한 허무함과 함께 조갈증을 느꼈다. 입안이 과자처럼 퍼석퍼석했다. 수차례혓바닥으로 입안을 다독여보아도 소용없었다. 수분이 없는 삶. 어쩌면 나는 평생 이런 인생을 살게 될 지도 모른다는 생각이 들었다. 모텔을 빠져나오면서 갑자기 머릿속에서 소설 무진기행의 마지막 문장이 떠올랐다.

'당신은 무진을 떠나고 있습니다. 안녕히 가십시오. 나는 심한 부끄러움을 느꼈다.'

열여섯 문학소년이던 시절 나는 소설 무진기행을 무려 두 번이나 필사 했다. 온전히 소설의 마지막 문장 때문이었다. 나는 그 이후 부끄러움을 느끼는 인간에 대해 꽤 오랜 시간 탐구했다. 부끄러움이야말로 인간이 가진 몇 안 되는 미덕이라고 생각했기 때문이다. 나는 무진기행의 그 마지막 문장을 곱씹으며 연남동을 거쳐 연희동까지 걸었다. 바야흐로 봄이었다.

'이산 저산 꽃이 피니 분명코 봄이로구나.'

얼마 전에 우연히 들른 강남의 국악전문공연장에서 한복을 풀세트로 차려입은 젊은 소리꾼이 합죽선으로 삿대질을 해대며 불렀던 단가의 첫 소절이 생각났다. 나도 모르게 입안에서 그 사설을 중얼거렸다.

분명코 봄이로구나.

봄은 기필코 슬픈 계절이다. 모든 것이 분명해서 아픈 계절이다. 봄은 스무 살이다. 잘 마른 한지에 물이 스미듯 세계를 받아들이던 시절. 그 무지한 충만이 영원할 것이라 자만하던 시절. 그러나 봄은 간다. 인생에 있어서도 봄은 가장 짧다. 나는 나의 봄도 그렇게 지나가고 있다고 느꼈다.

한참을 멍하니 걷다보니 갑작스럽게 잠에서 깬 사람처럼 공간을 인식하는데 조금 시간이 걸렸다. 동교동 삼거리를 지나 연희로 한복판에 서 있었다. 인도 중간에 시청에서 놓은 커다란 꽃화분이 코끼리 똥무덤처럼 덩그러니 놓여있었다. 나는 화분에 발길질을 했다. 발가락에 묵직한 통증이 전해졌다. 그러고 났더니 기분이 조금 좋아지는 것 같기도 했다. 걷는 동안 가끔 봄기운이 목 주변을 가볍게 쓰다듬었다. 아무리 물을 마셔도 조갈증이 해소되지 않았다. 누군가 계속 내 뱃속에 오장육부를 하나씩 끄집어내고 있는 것처럼 속이 허한 기분이 들기도 했다. 뱃속에 무엇이라도 집어넣으면 조금 나아지려나, 생각했지만 나는 가끔 골목 끝에 서서 담배 연기를 들이마시는 일 외에 다른 섭취는 하지 않았다. 나는 계속 걷고 있었지만 점점 침잠하고 있다는 생각이 들었다. 습하고 좁고 어두운 우물 같은 구멍 안으로 끊임없이 가라앉고 있는 것 같았다. 나는 종종 이런 기분에 휩싸일 때가 있었는데 이럴 때면 도무지 어떻게 해야 될지 모르겠다고 생각했다. 길 한복판에서 점프를 해보기도 했고 가로수를 발로 걷어 차보기도 했지만 상황은 나아지지 않았다. 집에 도착해 한참을 침대에 누워 있다가 창문을 열고 담배를 피웠다. 창밖에 손을 뻗으면 닿을 거리에 은행나무가 서 있었고 푸른 잎들이 햇볕에 나부꼈다. 나는 머리카락을 쥐어뜯어 손바닥 위에 올려놓고 후, 하고 불었다. 가늘고 긴 고독같은 머리카락이 힘없이 휘청거리면서 흔적도 없이 추락했다. 나는 창문을 닫고 루다에게 전화를 걸어볼까 했지만 그러지는 않았다.

기필코 슬픈 계절

멸망하는 존재

결혼식장은 깨끗했다. 입구에 고인돌처럼 서 있는 국립외교원 석간 판을 보면서 외교관이라는 직업을 굳이 이렇게까지 티를 내고 싶을까, 하고 생각했지만 그것은 직업이 곧 자기 자신이라고 믿는 베이비부머 세대의 공통적인 기질이라고 생각했다. 나는 매사에 그럴 수도 있지, 하고 생각하는 편이었다. 화가 나거나 납득하기 어려운 상황에 처했을 때도 항상 뭐 그럴 수도 있지, 하고 생각했다. 그러면 그것이 무슨 일이든 웬만하면 별일 아닌 것처럼 느껴졌다. 사실 나는 한번 화가 나면 주체할 수 없이 폭발하는 성격이었기 때문에 진화론적 관점에서 스스로 면역체계를 만들어 낸 것이라고 생각했다. 매번 미친 듯이 화를 냈다가는 제명에 살지도 못할뿐더러 인간생활 자체가 불가능하기 때문이다. 나는 그래서 어떻게 보면 매사에 무심하고 심상한 사람처럼 보였다. 뭐 사실 어느 정도 그렇기도 했다. 인간세계에서 인간들이 하는 일이라는 게 전부 밤톨처럼 고만고만하다고 생각했기 때문이다. 특별히 관심을 둘만큼 흥미로운 일이 없었다. 아마 앞으로도 그럴 것이다. 엄마 말대로 인생이란 게 어차피 뭐 별거 없기 때문이다. 엄마는 항상 될 수 있는 한 대충 살라고 말했다. 나는 대체로 그 말에 공감했다.

평소에는 외교원 강당으로 사용하는 공간에 출장웨딩업체를 부른 것 같았다. 천장에는 하얗고 긴 천이 해먹처럼 주렁주렁 늘어져 있었다. 가능만 하다면 그곳에 올라가봤으면 하는 생각이 들 정도로 큰 곡선이 시선을 끌었다. 하객석은 세워진 바닥면을 눌러 앉고, 일어서면 자동으로 다시 접히는 영화관에서 볼 수 있는 자색의 패브릭 의자였다. 어릴 때 접었다 폈다 하며 장난을 쳤던 그 반자동 의자를 보니 영화관에 가 본지가 꽤 오래됐다는 생각을 했다. 의자에 잠깐 앉아 보았다. 결혼식도 일종의 픽션이지, 라고 생각했다. 식장 안은 웨딩업체 직원들로 보이는 사람 몇몇이 분주하게 움직이고 있었다. 모든 관습과 의례가 그들의 몸 안에 새겨져 있는 것 같았다.

오늘 길에 은행에 들러 예금 통장에 있던 현금을 전부 인출했다. 백만 원이 조금 안됐다. 나는 축의금 봉투에 동전까지 털어 넣었다. 순간 인간사회의 중력과 관성에서 한 발짝 멀어진 것 같아 기분이 좋아졌다. 그리고 생각했다. 이것이 우리의 정오에 보내는 마지막 의지가 되기를.

예식까지는 시간이 많이 남아 있었다. 건물 뒤쪽으로 나가 담배를 세 개비나 피웠지만 시간은 10분밖에 지나지 않았다. 날씨가 무척 좋은 날이었다. 그냥 어디고 눕기만 하면 잠이 들 수 있을 것처럼 볕이 좋았다. 완연한 봄날이었다. 나는 문득 테스토스테론이 과다하게 분비되어 세계가 아름다워 보였던 열 여덟, 열 아홉의 나를 떠올렸다. 윤동주를 외고 오규원과 최승자를 가슴에 품고 다녔던 한 낮. 불과 10년도 되지 않았는데 아득히 먼 시절처럼 느껴졌다. 나는 아주 낮은 소리로 윤동주의 서시를 뇌까렸다. 그리고 하늘을 우러러 봤다. 부끄럼들이 하늘에 가득했다. 나는 걸음을 옮겼다. 인근 주택가에 작은 놀이터가 보였다. 작게 나무숲이 우거져 있었다. 나는 그곳에 앉아 담배를 조금 더 피워야겠다고 생각했다. 편의점에 들러 우유를 하나 샀고, 놀이터구석에 디근자로 놓여 있는 벤치에 앉았다. 놀이터는 텅 비어있었다. 코끼리 코처럼 땅으로 코를 길게 늘어뜨린 커다란 미끄럼틀이 한 가운데 서서 나를 노려보고 있는 것 같았다.

미끄럼틀. 시소. 회전기구. 정글짐. 모래놀이. 암벽등반. 통나무 징검다리. 그네….

나는 기구들의 이름을 하나하나 가만히 불러봤다. 누군가 아주 사소한 이유로 붙였을 그 이름들. 그렇게 살아가게 된 이름들. 그런 생각을 하다가 문득 내가 루다의 결혼식에는 왜 왔을까, 하고 생각했다. 잠시 조용히 돌아갈까도 생각해봤지만 여기까지 와놓고 생쥐처럼 돌아가는 것이야말로 올해 내가 한 짓 중에 가장 멍청한 짓이 될 것이라 생각했다. 그래서 무슨 일이 생겨도 그냥 끝까지 있다 가야겠다고 생각하며 계속 담배를 피웠다.

아저씨 여기서 담배 피우면 안돼요.

키가 대추나무 묘목만한 여자아이였다. 당장 경찰에 신고라도 할

기세였다.

　나는 미안하다고 말하고 담배를 바닥에 비벼 껐다. 바닥에 형편없이 짓눌려있는 담배꽁초를 집어 우유팩에 구겨 넣으며 일어섰다. 아이는 그제야 할 일이 끝났다는 듯 돌아서 갔다. 아이는 반대편에서 스키를 타는 것처럼 손과 발을 움직여야 하는 운동기구에 매달려있는 노파에게 갔다. 노파가 낯선 아저씨에게 가서 함부로 말을 걸면 위험하다며 아이를 타이르는 소리가 들렸다. 나는 주변을 정리하고 다시 예식장으로 갔다.

　"잠시 후 예식이 거행될 예정이오니 하객 여러분께서는 식장안으로 입장해 주시기 바랍니다."

　사회자가 구성진 소리를 내며 마이크에 연신 침을 튀겼다. 사내의 목소리에서 돈 냄새가 났다. 휘발유를 주입해야 앞으로 가는 자동차처럼 돈을 주입해야 말을 하는 사람. 그런 이상한 생각들을 하고 서 있을 때 로비 한 가운데에서 윤과 정선배를 만났다. 두 사람은 한껏 치장을 하고 있었다. 윤은 말쑥한 감색 정장에 푸른색 계열의 스트라이프 넥타이를 매고 있었고 정선배 역시 옅은 모래 노란색 투피스에 까치발을 들고 서 있는 것처럼 높은 구두를 신고 있었다.

∞

　언젠가 나는 브루스와 결혼에 대해 이야기를 한 적이 있다. 여름의 끝자락이었다. 꽤 뜨거운 날씨였지만 버틸만한 더위였다. 신촌에서 북

아현동으로 넘어가는 골목 어디쯤에 있는 작은 카페였다. 한낮의 태양 조각이 거리 곳곳에 부서져 있던 날이었다. 우리는 테라스에 놓여 있는 테이블에 마주 앉아 한낮을 조금씩 뜯고 있는 것처럼 시간을 보냈다. 사각의 철제 테이블을 기준으로 정확히 절반은 그늘, 절반은 볕이었다. 빛과 어둠의 테이블. 우리는 언제나 그 경계 어디쯤에 서 있는 것 같았다. 맞은편 골목 담장 밑에 흰색계통의 길고양이가 그늘에 기대어 죽은 듯이 낮잠을 자고 있었고 그 위로 미용실 간판이 분주하게 돌아가고 있었다. 미용실 입구를 열고 들어가면 지독한 파마약 냄새가 코를 찌를 것 같았다. 근처에 웨딩 스튜디오가 있는지 드레스를 빌려 입은 남녀와 소화기만한 카메라를 들고 있는 사내가 자주 눈에 띄었다. 우리는 그들을 보며 말했다.

결혼은 하는 게 좋다고 생각해?
글쎄. 좋은 일도 그렇다고 나쁜 일도 아니라고 생각해. 하지만 나는 하지 않을 생각이야.
왜?
뭐든 일이든 되도록 안하는 쪽을 선택 하는 것이 이익이라고 생각하니까.
그래. 결혼은 모르겠지만 결혼식은 한번쯤 해볼 만 한 일이야.
왜?
축의금이 꽤 짭짤하거든.
내가 결혼을 하는데 왜 다른 사람에게 돈을 받아? 거기에 무슨 반대급부가 있다고.

일종의 두레와 품앗이 같은 거지. 이번엔 너, 다음엔 나.

불편해. 안주고 안 받는 게 훨씬 편하고 깔끔해. 전부 허례허식이잖아.

맞아. 그렇지만 인간사회에는 형식이라는 것이 꼭 필요한 법이지. 생각해봐. 대통령취임식을 시골동네 마을회관 평상에서 돼지 머릿고기나 가자미회무침 따위를 놓고 진행한다면. 그는 대통령이 아니라 그 순간 마을이장이 되는 거야. 인간사회에서 어쩌면 내용은 하나도 중요하지 않을지도 몰라. 형식이 전부인거지. 어차피 대통령이라는 자리도 형식적인 포장이 없으면 아무것도 아니잖아. 대부분 인간자체는 겨울 황태보다도 형편없으니까.

결혼식이나 장례식도 그와 비슷해. 죽음을 무덤이나 봉안 같은 장례절차로 형상화시켜 놓지 않으면 아무것도 남지 않는 것처럼 결혼도 마찬가지라고. 그렇게라도 형식이 없으면 인간세계는 정말로 아무것도 아닌 게 되니까. 그래서 인간들이 허울뿐인 명함에 그렇게 집착하는 걸지도 몰라. 그나마 형식으로 짓눌러 생의 의미를 건조해내지 않으면 아무도 이 지긋지긋한 무의미한 인생이라는 내용을 견뎌내지 못할 테니까. 때로는 행동이 생각을 따라오게 하는 것도 방법이야. 형식을 쫓다보면 내용이 따라오기도 하듯이. 어차피 완벽한 인간은 존재하지 않아. 완벽한 인생이 존재하지 않듯이….

완벽한 궤변이군. 내가 대답했다.

그래, 그건 그렇고 결혼은 말이지. 큰 용기가 필요해. 왜냐면 생판 모르는 남이랑 내 공간을 나눠야 하거든. 환풍기를 틀어 놓지 않고는 똥

멸망하는 존재

도 마음대로 싸지 못한다고. 매일 아침 아주 조용한 상태에서 고도의 집중을 요하는 나로서는 그게 가장 취약이었지.

왜 그렇게까지 해야 하지?

누군가와 함께 산다는 건 그만큼 각오를 해야 해.

그렇다면 나는 절대 결혼 따위는 하지 않겠어.

그래, 그건 전적으로 선택의 문제야.

좋은 점은 없어?

있지. 곱창전골은 2인분부터 판매하거든. 쟁반짜장도 마찬가지고. 그것만으로 결혼은 충분한 의미가 있지. 그런 의미에서 2인분을 최소 단위로 메뉴를 구성한 식당들은 출산율 제고에 큰 도움을 주고 있는 거지. 그러나 가장 중요한 건 번식이라는 인간의 책무를 수행하는 일이지. 덕분에 너처럼 살아있는 것들이 살아있으니까.

∞

지금 신부가 된 루다까지, 우리 넷은 각기 다른 존재였지만 회사의 입장에서보면 기간제근로자라는 공통의 묶음이었다. 그래서 그런지 우리는 자주 모여 다녔다. 나는 그게 조금 불편했지만 싫지만은 않았다. 같은 처지의 인간들끼리 느낄 수 있는 어떤 동질감 같은 감정이 제법 따뜻하기도 했다. 불행인지 다행인지 나는 그들이 모두 떠난 그곳에 홀로 남아있다. 혼자 남는다는 것은 한겨울 발뒤꿈치처럼 쓸쓸한 일이었지만 나름 뿌듯하기도 했다. 완전히 홀로 남겨진다는 것. 모두

가 떠난 외로움을 견뎌낸다는 것. 그것이 제법 인간답게 사는 것 같았기 때문이다.

무택 씨 언제 왔어요?

윤이 내 눈썹을 보며 말했다.

좀 전에.

식권 받았지? 얼른 들어가자. 늦겠다.

정선배가 연분홍색 식권을 들어 보이며 말했다. 나는 대답 대신 고개를 주억거렸다.

우리는 식장 중간쯤에 나란히 앉아 전날 과하게 회식을 즐긴 과장님 같은 표정으로 엘가의 음악을 연주하고 있는 반주자들을 바라보고 있었다. 다른 건 몰라도 에누리도 덤도 없이 딱 받은 만큼만 연주하겠다는 의지는 있어 보였다. 뒤로 신랑이 입장을 준비하고 있었다. 신랑은 얼굴에 핏기가 없이 허연 것이 꼭 새 학기 교과서 같았다. 학창시절 도시락에는 프랑크 소시지와 가지런히 말린 계란말이 따위가 들어 있고 셔츠는 항상 단추를 목 끝까지 잠그고 다녔을 것 같은 사내였다.

신랑입장.

사내는 막 제식훈련을 마친 훈련병 같은 어정쩡한 자세로 걸음을 옮겼다. 사내의 걸음에서 푸드득 푸르륵 신권소리가 났다. 이어서 루다가 하얀 면사포와 드레스를 입고 히어로 영화의 주인공처럼 장엄한 음악과 함께 등장했다. 백색의 핀라이트가 그녀를 졸졸 따라다녔다. 출발선에 선 루다는 바그너의 곡에 맞춰 아주 천천히 걸음을 옮겼다. 꼭 담쟁이넝쿨을 연상시키는 드레스를 입고 있었는데 넝쿨이 목덜미까

멸망하는 존재

지 휘감고 있어서 누군가 목을 조르고 있는 것처럼 보였다. 얼마 전처럼 이마를 훤하게 까고 그 위로 올림픽영웅의 화관처럼 생긴 면사포를 쓰고 있었다. 나는 그런 루다가 자꾸만 무택 씨 제가 무엇을 이룰 수 있을까요? 라고 말하고 있는 것만 같아서 미간을 조금 찌푸렸다. 루다의 옆에는 딸에게 이루다, 라는 이름을 지어주어 평생 무언가를 계속해서 이루어야만 하는 운명을 안겨준 중년의 사내가 끔찍하게 어색한 표정으로 걷고 있었다. 그는 댄스스포츠 초급 강좌 수강생처럼 어색하게 발을 떼고 있었다. 루다는 무척이나 엄숙하고 결연한 표정을 짓고 있었는데 그 표정은 모두 하객의 시선을 의식하고 있는 결과로 보였다. 나는 그 순간 루다가 나처럼 배우라는 사실을 깨닫게 되었다. 그렇게 슬픔을 치료하고 있는 것이라고 생각했다.

　나는 어떤 행사나 의식을 병적으로 하찮게 여기려는 버릇이 있었다. 그래서 결혼식이나 장례식 같은 경조사에 부러 옷을 허름하게 입고 가는 경우가 많았고, 제사를 지낼 때마다 남몰래 주머니에 손을 찔러 넣고는 했다. 특히 학교에서나 군대에서 국기에 대한 경례를 하는 일이 그랬다. 부러 오른쪽가슴이나 목젖, 배꼽 따위의 이상한 신체 부위에 손을 올리곤 했다. 수많은 사람들이 같은 행동을 하는 일처럼 우스꽝스러운 일은 없다고 생각하기 때문이었다. 겉치레가 너무나 많다. 인간 사회는 형식을 빼면 아무 것도 남는 게 없다는 브루스의 말에 대체로 공감했지만, 그렇다고 타인의 세계를 이루는 형식에 내가 장식으로 참여하고 싶지는 않았다.

　루다는 분명 무언가를 이룬 사람의 표정이었다. 아니 그렇게 보이려는 것 같았다. 계속해서 웃고 있었는데 평소 사용하지 않던 근육을 과도하게 사용한 부작용인지 간혹 입술 끝이 부르르 떨리고 있었다. 나는 신부를 기다리고 있는 반장같이 멀끔한 사내가 갑자기 잔인한 동화의 한 장면처럼 지독하게 커다란 두꺼비로 변신하는 상상을 했다. 신랑이 펄쩍펄쩍 뛰어다니면서 긴 혀로 파리를 잡아 삼키듯 하객들을 하나둘씩 잡아먹는 바람에 식장은 아수라장이 되는, 그런 생각을 하는 동안 루다는 무사히 사내의 손을 잡았다.

문어대가리나 대머리독수리같은 반짝이 계열의 별명하나쯤은 갖고 있을 것 같은 말쑥한 주례선생은 신랑이 다니는 교회의 담임목사라고 했다. 그는 서대문구에 소재한 신랑이 졸업한 사립대학교 이야기로 주례사를 시작했다. 식상하기로 따지면 한식날 제사 때 읊는 축문과 비슷한 수준이었지만 얇은 랩을 씌워놓은 것처럼 투명한 그의 이마는 제법 다채롭게 빛났다. 그는 성혼선언문을 낭독한 후 이제 둘은 하나가 되었다고 말했다. 나는 그 말을 듣고 로봇이 합체하는 장면을 떠올렸다. 둘이 하나가 되는 일은 그것 밖에는 떠오르지 않았다. 또 스무살 무렵 대방동 싸구려 여관에서 이제부터 우린 이제 하나야! 라고 소리치던 여자가 생각나서 체머리를 흔들었다. 나는 그때 여자에게 하나면 하나지 둘이겠느냐, 라는 노래를 아느냐고 물었던 것 같기도 하고 아닌 것 같기도 했다. 그 여자는 끔찍하게 못생기고 무례한 여자였다.

주례사는 계속됐다. 인간은 분명 언어 때문에 멸망할 것이다. 주례사야 말로 반드시 알맞은 때에 멈춰야 한다. 그것이 주례의 미덕이라는 사실을 당사자만 모르고 있다. 어디선가 유아기 유인원이 소리를

멸망하는 존재

질러댔다. 배고파! 주례선생은 바지주머니에서 진녹색 체크 손수건을 꺼내 자신의 이마에 흐르는 육수를 닦았고, 하객들은 자신이 그런 일차적 욕구를 어느 정도 참아낼 수 있는 사회적 동물이라는 것에 안도하며 인자한 미소를 지으며 아이쪽으로 시선을 돌렸다. 아이를 안고 있는 엄마는 따귀를 여러 대 얻어맞은 것처럼 얼굴이 빨개져있었다. 그 후 식장은 한여름 논두렁에서 쏟아져 나오는 개구리 울음소리처럼 배고파, 라는 소리가 속울음으로 메아리치고 있는 것 같았다. 부케를 받는 친구도 배고프니까 빨리 던지라고 말했고 사진 작가도 배고프니까 빨리 줄을 서라고 소리치는 것 같았다. 50여 분간 진행된 결혼식은 그렇게 끝이 났다. 오늘도 어김없이 허기가 귀신처럼 찾아왔다. 나는 시원한 맥주 생각이 간절했다. 정선배는 계속해서 루다 씨 너무 예쁘다, 라는 말을 유행가 가사처럼 중얼거렸는데 그러면서 계속 인스타그램을 손가락으로 휙휙 뒤적거렸다. 그 옆에 윤은 누군가 등 뒤에서 하품을 하는 태엽을 감아대는 것처럼 계속해서 하품을 해댔다.

∞

인간은 태초부터 외로울 수밖에 없는 존재야. 생각해봐. 누구 소개로 이 세계에 태어난 게 아니잖아? 그냥 태어났고 애초부터 아는 사람이라고는 없었어. 엄마라는 존재도 결국 모르는 사람이었던 거잖아. 나와 보니까 알 게 된 거지. 착각하고 있는 거야. 처음부터 혼자가 아닌 거였던 것처럼. 우리는 엄마의 뱃속에서 떨어져 나왔을 때 이미 고독한 주체가 된 것인데 말이지.

술에 취한 브루스는 대숲이 바람에 흔들리는 것처럼 몸을 흔들어대며 말했다. 나는 누군가의 노래를 듣고 있는 사람마냥 브루스의 말이 내 귓 속으로 들어오는 것을 그냥 두었다. 브루스는 말도 안 되는 인생론에 대해 떠들길 좋아했다. 브루스는 그때가 가장 행복해보였다. 그게 무엇이든 누구에게나 그런 순간이 있다는 것은 축복할 만한 일이라고 생각했다.

있지, 어쩌면 인생에 있어 가장 슬픈 순간은 죽음이 아니라 탄생의 순간 일지도 몰라. 그래서 태어나자마자 처음 하는 일이 목 놓아 우는 일인 거야. 모든 시작은 끝을 내포하고 그 끝에는 반드시 통증이 있으니까. 아무것도 모르는 것처럼 보이는 애송이지만 본능적으로 아는 거지. 모든 존재는 고통이라는 걸. 자신이 절망의 숲으로 뛰어 들어왔다는 것을.

그런데 진짜로 고통스러운 건 너의 죽음을 견뎌내는 일이지. 우리는 살면서 반드시 수많은 너의 죽음을 목도하게 돼 있어. 사람을 사랑한다는 건 그만큼의 슬픔과 고통을 함께 끌어안는 일 이기도해. 반대로 내가, 나를 사랑하는 사람에게 가장 큰 고통을 주는 대상인거야. 그런 의미에서 나에게 너의 죽음은 견디기 힘들만큼 아플 거야. 그럼에도 난 사람을 사랑하는 일을 멈추지 않을 거야. 인간세계에서 유일하게 내가 할 수 있는 유의미한 일이이라고 믿으니까. 인간을 사랑하고 그 상실의 고통을 끌어안는 일. 이것 봐. 그러라고 심장이 이렇게 쉬지 않고 뛰고 있잖아.

멸망하는 존재

나는 하릴없이 인간을 사랑하지는 않을 생각이야.

무택아. 아무에게도 상처를 주지 않겠다는 미몽에서 깨어나야 해. 그것은 마치 축구경기를 하면서 한 번도 넘어지지 않고 골을 넣겠다고 다짐하는 일과 같지. 그것은 너무나 당연한 일이야. 인간은 서로 상처를 받고, 상처를 줘. 그러나 아무것도 걱정하지 마. 상처가 아무리 날카로워도 인생은 반드시 뭉뚝해지게 되어 있으니까. 연필처럼. 그런 의미에서 이런 명문이 탄생한 거지.

사랑을 쓰려거든 연필로 쓰세요.

∞

예식이 끝나고 윤과 정선배와 함께 아래층에 마련된 피로연장으로 향했다. 그 곳은 마치 명절대목을 맞은 수산시장 같았다. 치열한 생업의 현장이었다. 먹고 버리고 마시고 소리치고 하는 사람들의 모습이 방금 전까지 폼 잡고 앉아 있던 사람들이 맞는가 싶을 정도로 섬뜩하게 변해있었다. 배고파! 라고 소리치던 꼬마의 어미는 안 먹겠다는 아이의 입에 날치 알이 올라간 캘리포니아롤을 쑤셔 넣고 있었다. 아이는 휴대폰으로 자동차가 로봇으로 변신을 하고 다시 로봇들이 떼로 합체를 해대는 애니메이션을 보면서 엄마가 입속으로 구겨 넣는 것들을 받아 우적거리고 있었다. 우리 일행은 잠시 강남한복판에 서 있는 시골 사람처럼 서성이다 구석에 자리를 잡았다. 나는 테이블 끝에 앉아 먹지 말라는 듯이 놓여있는 미지근한 맥주를 종이컵에 부었다. 여기저기서 스테인리스 포크로 접시에 찰과상을 입히는 소리가 요란하게 들렸다. 나는 살기 위해 먹는가, 먹기 위해 사는가, 라는 명제에 대해 잠시 생각해 보았다. 생각하면 할수록 참 쓸데없는 생각이라는 생각이 들었지만 그때를 생각하면 분명 인간은 먹기 위해 사는 것이 분명했다. 어쩌면 인생에 있어 그보다 더 확실한 목적은 없을 지도 모른다고 생각했다.

뷔페에 가면 사람들이 몰려 있는 즉석 스테이크 같은 메뉴 근처에는 얼씬도 하지 않는다. 최선을 쫓다 실패하면 최악이 남는다는 사실을 잘 알고 있기 때문이다. 그럴 바에는 처음부터 차선을 택하는 것이 훨씬 남는 장사다. 그건 다른 일에서도 마찬가지다. 이루어지지 않을 꿈 같은 허상을 쫓아 허송세월을 보낼바에는 애초에 당장 할 수 있는 일을 선택하는 편이 훨씬 생산적이다. 꿈처럼 아름다운 것들은 현실에 없다. 꿈은 말 그대로 꿈이다. 꿈을 현실로 옮길 수는 없다. 안될 것 같으면 하루라도 빨리 포기하고 인정하는 것이 낫다. 매달리는 일은 철봉에서나 하는 것이다. 그런 의미에서 나는 루다의 결혼을, 그 형식을 진심으로 축하해주기로 했다.

윤의 얼굴은 가뜩이나 혈색이 거무튀튀한 편이었는데 거기에 술이 들어가니 한여름 뙤약볕에 오래 놔둔 토마토 같이 검붉은 색을 띠고 있었다. 정선배도 윤과 술잔을 주거니 받거니 하더니 제법 마신 듯 보였다. 취기가 올라오자 어김없이 남편 욕을 늘어놓기 시작했다.

내가 결혼식장와서 이런 얘기하는 게 조금 그렇지만 결혼은 남들 다 한다고 막 하고 그러는 거 아니다. 그 인간은 세수를 하고 나와도

멸망하는 존재

눈곱이 붙어 있다니까. 눈에서 무슨 애벌레가 기어 나오는 것 같다니까. 또 그 사람 출근하고 세면대를 보면 코딱지가 무슨 화석처럼 붙어 있어. 그리고 머리는 왜 세면대에 처박고 감는지 몰라. 그럴 때 보면 확 변기에 머리통을 집어넣고 싶어진다니까.

정선배는 코가 큰 편이었다. 자세히보면 코주부 원숭이를 닮았다고 느낄 정도였다. 게다가 그 커다란 코끝에 작은 점까지 하나 붙어있었다. 보통은 미인점이라 불리기도 하지만 그녀에게는 코를 더욱 크게 보이게 할 뿐이었다. 그 점은 특이하게도 술을 마시면 마실수록 점점 커지고 있는 것 같았다. 아니 어쩌면 코가 커지고 있는지도 모른다. 술을 마시면 코가 삐뚤어지는 것이 아니라 코가 커지는 사람. 충분히 가능한 일이라고 생각했다. 게다가 음식을 많이 먹으면 보통은 배가 나오기 마련이지만 정선배는 가슴이 나오는 것 같았다. 블라우스 3번과 4번 단추 사이가 벌어져 셔츠가 마치 계속해서 오-라고 말하고 있는 사람처럼 벌어졌다. 그 속으로 옅은 분홍의 브래지어가 보였다. 특별히 보고 싶지 않았는데 자꾸만 그쪽으로 시선이 갔다. 속옷이 보인다고 말을 하기도, 그렇다고 그냥 그대로 두기도 그렇고 어찌해야할지 판단이 서지 않았다. 나는 그냥 모른 체 하기로 하고 계속해서 술을 마셨다. 시간이 흐를수록 그녀의 코와 가슴이 커지고 있는 것인지 취기로 인해 헛것이 보이는 것인지 알 수 없었지만 어떤 것이든 썩 유쾌한 일은 아니라고 생각해 계속해서 고개를 좌우로 한두 번 흔들어댔다. 그들이 내 앞에 나타난 건 그즈음 이었다.

선배!

내가 알코올의 힘에 의해 다소 긍정의 상태로 진입하려는 순간 전봇대처럼 길고 마른 남자 둘이 웃으며 말했다.

무택 선배 맞죠?

자세히 보니 낯이 익은 얼굴이었다.

어……오랜만이다.

나는 갑작스런 폭력에 얼굴을 가리듯 반사적으로 대답했다.

나를 선배라고 부르며 우리 테이블 앞에 멈춰선 20대 중반의 남자 둘, 불과 몇 년 되지도 않았는데 대학 선후배라는 존재에 대해 까맣게 잊고 있었다. 내가 3학년 때 들어온 신입생이었다. 내가 본 유일의 게이 커플이었다. 비어있는 테이블이 많지 않아 그들과 자연스럽게 합석했다. 나는 말없이 잔에 술을 따랐다.

술 마시는 것은 여전하다며 태생적으로 머리숱이 적어 그것을 숨기려는 목적으로 상투를 틀어 올리듯 머리를 묶어 올린 K가 일부러 큰 소리로 웃으며 말했다. 그는 대학 때부터 같은 헤어스타일을 고집했다. 나는 그게 무엇이든 오랜 시간동안 한 가지만 고집한다는 것은 인정받아 마땅하다고 생각했다. 인간의 집념이란 것이 수 만 가지 욕망 앞에서 좁쌀 쭉정이 정도의 무게만큼 가벼워진다는 것을 누구보다 잘 알고 있기 때문이었다.

O는 달 항아리처럼 얼굴이 허옇고 동그랬다. 마치 태어나 한 번도 햇볕을 마주하지 않은 인간 같았다. 밭이나 논이 아닌 평생 대형마트나 백화점같은 실내에서만 생존에 필요한 식량을 구해서 살아 온 인생. 한마디로 전형적인 도시인간같은 녀석이었다. 눈이 쾡 한 게 어디

멸망하는 존재

큰병이라도 걸린 녀석처럼 보이기도 했다. 녀석도 그대로 였다.

인생을 느긋하게 해주는데 이 놈 만 한 것도 없죠.

K가 소주병을 들어 올리며 말했다. 나는 윤과 정선배를 조용히 소개했다. 묻지도 않았는데 루다의 남편이 거래처 직원이라고 K가 말했다. 내가 물음표를 눈에 붙이고 녀석을 다시 쳐다보니 많이 겪어봤다는 뉘앙스로 저는 협력업체직원이에요. 한마디로 갑과 을의 관계라고 보시면 돼요, 라고 말했다. 나는 곧장 아-하고 서둘러 고개를 주억거렸다. 더 그쪽 이야기를 들어봐야 나만 불편해질 것 같았기 때문이었다. 어디에나 갑과 을이 존재했고 그 관계에 대한 이야기는 생략하면 할수록 이득이라고 생각했다.

학교 다닐 때 나는 어떤 사람이었냐고 윤이 물었다. K는 내가 학교에서 유명 인사였다며 박수라도 칠 기세로 말했다. 사람을 많이 대해본 표정과 말투였다. 나는 녀석이 회사에서 제법 인정을 받는 직원일거라 생각했다. 어쩌다 보니 원치 않은 술자리가 만들어졌지만 모두 즐거워 보였다. 윤과 정선배는 생각보다 녀석들과 잘 어울렸다. 물론 그 중심은 서로가 알고 있는 너무 다른 나에 관한 이야기였다. 나는 모든 화제의 중심이 나라는 것이 몹시 귀찮았지만 녀석들의 시답잖은 찬양과 술기운이 적당히 섞여 제법 기분이 우쭐해지기도 했다.

다들 취해갔다. 술을 마시다보면 취하는 것이 당연하듯, 살다보면 죽는 것이 당연한데 어느때는 취한 것도 그렇고 죽는 것도 그렇고 아무것도 인정하고 싶지 않았다. 그냥 계속해서 무죄를 주장하는 피의

자처럼 모조리 부인하고 싶어질 때가 있었다. 브루스는 죽음을 두려워하지 말라고 말했지만 나는 알고 있었다. 그가 누구보다 두려워 한 것이 바로 자신의 소멸이었다는 것을.

선배요. 유명했어요. 뿜어져 나오는 그 엄청난 나르시시즘. 그건 뭔가 상상을 초월했죠. 여자 후배들 대부분이 선배의 그런 우울과 알 수 없는 자존감에 당했어요. 진짜 뭐가 있는 사람 같았거든요. 돈도 망설임없이 써댔어요. 남자후배들에겐 부러움과 시기의 대상이었죠. O가 종이컵에 담긴 액체를 웩하고 뱉으며 말했다. 누군가 소주를 버려둔 모양이었다. 녀석의 목덜미 주변으로 불콰한 주기가 맴돌고 있었는데 아무렇게나 드잡이질을 한 직후의 사람 같았다. 그리고 녀석은 오래된 어떤 연예인의 스타일을-정장 재킷 소매부분을 팔꿈치까지 올려 입는-고집하는 건지 아니면 팔뚝에 열이 많아서 그러는지는 모르겠지만 계속해서 손목까지 내려오는 정장 소매 부분을 쓸어 올렸는데 팔목과 팔꿈치 중간지점에 가을 하늘에 비행운처럼 커다란 열상이 그어져 있었다. 나는 그 상처의 사연을 물을까 하다가 그만두었다. 침묵. 죽은 사람의 입에 쌀을 한줌 넣듯 그렇게 조용히 안녕을 빌어주는 것, 인간이 인간에게 할 수 있는 최선의 배려가 아닐까. 그런 의미에서 나는 최대한 말을 아껴야 한다고 생각했다.

루다와 남편이 테이블을 돌아다니며 인사를 해댔다. 나는 아주 낮은 목소리로 축하해요, 라고 말했다. 다른 말들과 섞여 루다가 듣지 못한 것 같아 다시 말할까 하다가 그만두었다. 루다는 금방 떠났고 나는 다시 조용히 소주와 맥주를 섞었다. 가끔은 섞는 것도 귀찮아 소주를

멸망하는 존재

마시고 안주로 맥주를 마시기도 했다. 왜 그런지 모르겠지만 기필코 억병으로 취해버려야겠다고 다짐했다. O는 피자호빵처럼 당근색으로 부풀어 오른 얼굴을 식히려는 목적인지 뉴스킨 미스트를 자주 얼굴에 뿌려댔다. 그리고는 중간중간 뉴스킨 회원의 혜택과 수익구조에 대해 이야기했다. 아무래도 그쪽에 빠져 있는 모양이었다. 정선배는 가만히 앉아서 억대 연봉을 받는 상위 관리직 얘기를 듣자 물고기처럼 눈이 조금 튀어나오는 것 같았다. K가 2차로 신랑이 따로 준비해 놓은 피로연에 가자고 말했다. 윤과 정선배는 흥분한 긴팔원숭이 마냥 엉덩이를 들썩거렸다.

나는 대답대신 물오징어같이 물컹거리는 종이컵에 소주를 따랐고 이어서 맥주를 조금 섞었다.

선배, 우리 결혼해요.

K가 불콰해진 상태로 말했다. 내 눈을 똑바로 보면서 따지듯이 말해서 나는 순간적으로 빚을 진 사람처럼 시선을 피했다. O가 옆구리를 찌르며 눈치를 살폈다.

무언가를 집어 먹으려고 접시위에 널브러져 있는 음식을 살폈다. 새우튀김은 사우나에 들어갔다 나온 것처럼 푹 젖어 있었고 잡채는 마른 오징어처럼 딱딱하게 굳어있었다. 접시에 담긴 어느 것 하나 먹을 수 있는 것은 없었다. 녀석의 말도 내가 정상적으로 소화시킬 수 있을 만한 문장은 아닌 것 같았다. 윤과 정선배는 처음 보는 남자들의 갑작스런 결혼 발표에 적이 당황한 듯이 뷔페음식은 다 좋은데 너무 느끼해, 라거나 루다씨 신혼여행은 어디로 간대? 하고 뇌까리며 주위를 두

리번거렸다. 학습된 혐오와 불편을 감추려 애쓰는 것이 느껴졌다. 순식간에 레미콘에서 콘크리트가 쏟아져버린 것처럼 굳어버렸다. 인간관계라는 것은 이토록 가볍고 하찮은 것이다. 나는 다시 한 번 느꼈다. 인간은 수천년동안 무리지어 살면서 다름을 배척해왔다. 나는 순간 다수결이 정말 무섭고 끔찍한 제도라고 생각했다. 솔직히 그 둘이 결혼을 하든 파혼을 하든 하등 관심이 없었다. 평소에도 그것이 호프집 기본안주에 말린 바나나칩이 빠진 일보다 중요한 일은 아니라고 생각했기 때문이다. 실제로 거듭된 맥주의 역류로 인해 코팅이 흐물흐물해진 내 종이컵의 상태가 무엇보다도 심각하다고 느낄 뿐이었다.

어쨌든 최대한 대수롭지 않게 행동해야 한다고 생각했다. 그게 그들에게 내가 할 수 있는 최소한의 배려라고 생각했다. 그런 와중에 자꾸만 어딘가 무척이나 불편해 보이는 눈빛으로 돌변한 윤이 신경 쓰였다. 얼마 전 술자리에서 OECD국가 중 성매매를 법률로 규정하는 나라는 슬로베니아와 우리나라가 유일하다며 우리도 합법화해야 된다는 말을 할 때도 비슷한 표정을 지었었다. 자꾸 안 된다고 하니까 더 하고 싶은 거라고. 뭐든 숨기려고만 들어서는 아무것도 해결이 안 된다니까, 하고 성범죄예방에도 효과적일 거라며 열을 냈다. 나는 윤이 분명 같은 생각을 하는 남자들이 득실거리는 인터넷카페 활동을 하고 있을 거라 생각했다. 인간은 무엇이든 창조하려는 자를 두려워하기 마련이다.

결혼은 뭐하러 해요.

정선배가 말했다.

사랑하니까요.

K가 조금 떠있는 사람처럼 말했다.

그게 무엇이든 파괴해야 한다. 나는 K를 보며 생각했다.

뭐야. 씨. 더럽게.

윤이 혼잣말을 내뱉었다. 윤의 얼굴에 불쾌와 취기가 가득했다. 윤의 문장은 날 것 그대로였다. 정제되지 않은 비학습의 감정. 나는 우리를 둘러쌓으며 굳어가던 감정의 콘크리트 공구리가 터져 버렸다는 것을 느꼈다.

지금 뭐라고 했어? 더러워?

K가 자리를 박차고 일어나며 말했다. 흰색 면포로 곱게 쌓여있던 의자가 카운터펀치를 맞은 복싱선수처럼 직선으로 쓰러졌다. 주변 눈들이 순식간에 두려움과 호기심으로 바쁘게 돌아가는 것이 느껴졌다.

뭐가 더러운데!

O가 흥분한 K의 옷자락을 잡고 한 손으로 의자를 일으켜 세웠다. 꽤 익숙한 상황이라는 듯 하지만, 라고 낮게 말했다.

뭐라고 했냐고!

K가 말리는 O를 뿌리치고 윤에게 달려들었다. K와 윤이 함께 엉켜 쓰러지면서 테이블보가 말려들어갔다. 소주병과 음식접시들이 함께 바닥으로 곤두박질쳤다. 바닥에 두꺼운 카펫이 깔려 있어 그 어느 것도 깨지거나 날카롭게 부딪히는 소리가 들리지는 않았다. 그것 때문이지 이 상황이 마치 잘 만들어진 영화세트처럼 비현실적으로 느껴졌다.

정 선배는 길거리에서 사나운 동물을 만난 사람처럼 잔뜩 겁먹은 표정이었다.

윤은 본능적으로 겁을 먹거나 비굴해보이지는 않으려고 노력하는 것처럼 보였다.

왜이래? 매번 혼자 흥분해서는.

O가 K를 끌어 앉히며 말했다.

K는 자리에 앉아 계속해서 혼자 욕을 해댔다. 시동이 꺼진 후에도 한참을 돌아가다 멈추는 모터처럼 한동안 씩씩대다가 잠잠해졌다.

윤이 화장실에 다녀오겠노라고 자리를 피했다. 정선배는 싸움은 질색이라는 듯 에나멜핸드백을 꽉 끌어안고 집에 혼자 남은 아이처럼 불안해하다가 안정을 찾자마자 휴대폰을 만지작거렸다.

검정색 셔츠를 입은 20대 초반의 아르바이트생들이 빗자루와 쓰레받기를 갖고 바닥에 쏟아진 음식물들을 정리했다. 자본이 노동을 얼마나 배신하는지에 대해 잘 알지 못하는 시기라 그런지 제법 직업적 사명감에 불타는 눈빛을 갖고 있었다.

잘못된 일인가요? 사람이 사람을 사랑하는 일이 잘못된 일이냐구요. 그게 죄냐구요. 왜 사람이 사람을 좋아하는 일이 비난받아야 하는 일이죠? 백 번 천 번 아무리 생각해도 도저히 이해할 수 가 없어요.

K가 고릴라처럼 심장을 두드리며 말했다.

사랑이 마음대로 되는 일인가보죠? 선을 그어놓고 너는 되고 너는 안 되고. 그게 사랑입니까? 사랑을 누가 정의할 수 있냐구요!

K는 계속해서 흥분을 멈추지 않았다.

멸망하는 존재

배가 아파서. 인간은 내가 갖지 못하거나, 하지 못하는 것을 남이 갖거나 하는 것을 절대 못 보거든. 인간들이 말하는 도덕의 뿌리도 결국 그런 보상심리에서 한발자국도 못 나갔어. 인간은 그런 동물이야. 그러니까 신경 쓰지 마. 그저 엿이나 먹으라고 하고 술이나 마시자.

담배 생각이 간절했기 때문에 나는 조용히 밖으로 나오며 K에게 해주고 싶은 말을 생각했다.

나중에 안 사실이지만 K와 O는 SNS에서 꽤 유명한 인사였다. 성소수자 인권운동가로 팔로워가 3만 명이 넘는 계정을 활발하게 운영하고 있었다. 둘의 사진은 늘 수백 개의 좋아요, 가 눌렸지만 그만큼의 싫어요, 도 달렸다. 인간이 얼마나 편협하고 악랄한 동물인지 댓글을 보면 파악할 수 있었다. K는 아랑곳하지 않고 보란 듯이 O와 입술을 맞대고 있는 사진을 주기적으로 올렸다. 루다의 결혼식 날 둘이 런웨이에서 찍은 사진에는 싫어요, 가 무려 오백 개가 넘게 달렸다.

인간은 비난을 어디까지 견뎌낼 수 있을까.

내가 언제나 비겁했던 이유는 두려움 때문이었다. 타인의 송곳같은 비난이 두려웠다. 언제나 뭐든 브루스의 말대로 엿이나 먹으라, 하고 나는 나대로 살고 싶었다. 그러나 나는 그 무엇도 이겨내지 못할 것이라는 것을 알고 있었다. 나는 그 정도의 인간이다. 그래서 나는 되도록 피하는 쪽을 선택했다. 부딪혀 이겨 낼 자신이 없었다. 언제나 바라보고만 있었다. 나는 K와 U가 견뎌내고 있는 비난의 크기를 생각하며 맥주를 마셨다. 그리고 조용히 응원했다. 박살내라. 모조리 박살내 버려라.

∞

무엇이 꿈이고 무엇이 현실인가.

나는 이 알 수 없는 문제에 대해 꽤 오랫동안 생각했다. 나는 대개 하루 7시간 이상 잠을 자는 데 사용한다. 인생 전체를 놓고 보면 아주 긴 시간이다. 인생이 80년이라고 가정해도 최소 25년 이상은 순수하게 잠을 자는 데 쓰는 것이다. 물리적인 시간뿐 아니라 인간이 자기 자신이나 사물에 대하여 인식하는 동물이라고 한다면, 나는 꿈에서 더 극명하게 자각하고 의식한다. 10년 전에 꾸었던 꿈도 선명하게 기억하는 편이다. 그렇다면 꿈과 현실을 구분한다는 일 자체가 무의미한 게 아닐까, 하고 생각했다.

인간은 과거의 경험을 대부분 망각한다. 그 중 일부만 기억 속에 저장한다. 그것이 현실의 경험이든 잠자는 동안 경험한 정신현상이든 결국 하나의 형태로 남는다. 인간이 끝내 하나의 형태로 사라지듯. 결국 현실과 꿈의 경계는, 삶과 죽음의 경계처럼 허물어지고 만다. 삶이 죽음을 기억하지 못하고, 죽음이 삶을 기억하지 못하듯. 결국 현실과 꿈도 안개처럼 뒤섞여 하나의 생으로 끝을 맺는다. 그런 의미에서 내가 틈만 나면 몽상에 빠지는 일이 결코 헛된 일은 아니라고 생각했다. 결국 생이란, 꿈속에서 꿈을 꾸는 것처럼 꿈의 미로에서 헤어 나오지 못하는 현상이라고 생각했다. 그렇다면, 무엇이 참이고 무엇이 거짓일까?

어차피 모든 것은 반드시 소멸한다. 수 십 억년 지속됐던 인류와 그 안에서 태어나고 죽어버린 미세먼지보다 많은 인간 객체의 생이라는

멸망하는 존재

것에 대해, 실재라는 것의 하찮음에 대해 생각했다. 그 찰나의 육체, 꿈의 지각. 결국 어느 것이 참인지 거짓인지를 구분하는 것도 무의미한 일일지도 모른다. 그래서 현실에서의 계급장 따위는 아무짝에도 쓸모없다고 생각했다.

∞

내가 지금 어디로 가고 있는가.

K와 O를 따라 대문이 커다랗고 담이 높은 집들이 늘어선 골목을 한참 걷다보니 문득 그런 생각이 들었다. 그 생각은 내가 왜 여기에 있는가, 로 이어져 결국 나는 무엇인가, 라는 생각에까지 다다르고 있었다. 갑자기 감당할 수 없을 것 같은 우울함이 밀려왔지만 나는 묵묵히 내 그림자를 밟으며 걸었다. 내가 평생 할 수 있는 일이라는 게 이렇게 그림자를 만들고 그걸 밟는 일이 전부 일거라 생각했다. 걸음을 옮길수록 그림자는 수척해졌고 어디선가 개구리 울음 소리가 들리는 것 같았다.

피로연장 입구에는 색색의 풍선들이 건물과 절대 어울리지 않겠다는 태도로 붙어 있었다. 그 옆에 지하로 내려가는 깊은 계단이 눈에 띄었다. 어떠한 간판도 붙어 있지 않은 독특한 형체의 건물은 로봇으로 변신하는 자동차의 중간단계에서 멈춘 것 같기도 했고 종이를 아무렇게나 구겨놓은 것 같기도 했다. 형형색색의 아치형 풍선이 깊은 계단입구에 놓여있었는데 마치 망자의 입술에 붉은 립스틱을 발라놓은 것처럼 섬뜩하게 느껴졌다.

지하로 들어서자 남자 목소리도 아니고 그렇다고 여자목소리 같지도 않은 영국의 한 록 밴드의 음악에 몸을 흔들고 있는 무리의 젊은 남녀가 산발적으로 모여 있었다. 신랑의 지인이 운영한다는 스튜디오를 하루 빌린 거라고 모르는 사내가 스파클링 와인을 한 잔 건네며 말해주었다. 나는 일방적으로 말을 건네는 것도 일종의 폭력이라고 생각했다. 양쪽 눈이 심하게 몰려 있고 입이 뾰족하게 튀어 나와 있는 횟집 수족관에서 흔히 볼 수 있는 양식 활어를 닮은 녀석이었다. 그 스튜디오의 메인 포토 존으로 보이는 중세시대 성벽 세트 앞으로 길게 놓인 테이블에는 와인, 위스키, 칵테일, 맥주, 막걸리, 소주까지 지구상에 있는 모든 술이란 술은 전부 다 전시 해 놓은 것 같았다. 나는 그것들을 보면서 피로연을 준비한 그 샌님 같은 신랑이 아직도 모든 사람을 만족시켜야 한다는 유아기 인정욕의 강박에서 벗어나지 못한 인간일거라고 생각했다. 몸만 커다랗게 자란 어른아이. 그런 인간이라면 결혼도 부모나 남들의 기대에 부응하기 위해 결정했을 확률이 높다. 그런 의미에서 루다가 조금 걱정이 됐지만 향과 색이 짙은 에일맥주를 마시는 일에 집중했다. 알레스카연어처럼 차가운 것이 그랬다. 음악도 머리채를 흔들어댈 만큼 비트가 강한 미카나 퀸에서부터 노라존스까지 대중없이 흘러나왔다. 인생이란 것이 계속해서 신나거나 계속해서 우울할 수 없다는 듯. 뭐 그것도 나쁘지 않았다. 기분 같아서는 음악 선곡을 누가 하고 있는지 몰라도 그게 남자든 여자든 붙잡고 뽀뽀라도 해줄 수 있을 것 같았다. 나는 그 순간만큼은 누구보다 인간을 사랑 할 자신이 있었다. 나는 충만하게 취했다.

  그래 결국 아무것도 아니다.

  한마디 상의 없이 덜컥 결혼을 해버린 루다도, 잔뜩 취해있는 나도, 엠프를 통해 흘러나오는 정체 모를 음악들도 결국 아무 것도 아니다. 하늘과 바람과 구름과 낮과 밤처럼. 그래, 산다는 건 어쩌면 그런 걸지도 모른다. 그렇게 아무렇지도 않게 서 있거나 아무렇지 않게 지나가는 것을 한번쯤 쓰다듬는 것. 쓸어안는 것. 어쩌면 산다는 것은 그렇게 아무것도 않은 것들을 아무렇지 않게 함께 하는 것일 지도 모른다고 생각했다.

  삶이여. 심연속으로 가라앉고 있는 나의 삶이여. 나는 갑자기 한 없이 가라앉고 있는 마음을 건져 낼 수 없었다. 그래서 계속해서 아무 생각 없이 취하는 일에만 집중하기로 했다. 결혼을 한 루다의 생각이 솜사탕처럼 부풀어 오르면 갑자기 화가 나기도 했다. 그러다가 공복에 초콜릿을 한웅큼 집어 먹은 것처럼 갑자기 기분이 좋아지기도 했다. 나는 이런 나를 도대체 무어라고 불러야 할지 생각했다.

∞

  지독한 우울감은 다른 차원의 쾌락을 맛보게 한다. 무의미함이 주는 안도와 평안. 마치 산속 암자 뒷간에 흔들리고 있는 풍경처럼 고독한 적요의 미지근함이 온몸에 퍼지는 것 같은. 어쩌면 죽음이란 그런 상태의 끊임없는 연속일 지도 모른다고 생각했다. 그래서 하나같이 죽은 사람들의 얼굴을 보면 세상 편해 보이는 그런 모습을 하고 있는지도 모른다.

∞

커다란 얼음주머니에 담긴 맥주 캔을 하나 꺼내 들고 피로연 보다는 순백의 설원 같은 스튜디오 구석에 앉아 계속 담배를 피웠다. 음악 소리는 더 이상 들리지 않았다. 여기저기 하이에나처럼 웃고 있던 인간들도 하나둘씩 사라졌다. 시야가 흐려지고 몸 안에서 이런저런 소리가 들렸다. 싸워라. 무엇을 위한 싸움이든 싸움은 분명한 가치가 있다. 나는 생각했다. K가 누군가와 싸우고 있는 소리가 들리는 것 같기도 했고 아닌 것도 같았다. 나는 K가 부럽다는 생각을 했다. 지키고 싶은 가치가 있고 그것을 위해 싸울 수 있는 의지가 가득한 인생이 부러웠다. 그들이 절대로 아무 것도 포기하지 않았으면 했다. 끝까지 원하고 갈망하기를 바랐다. 진심이었다.

나는 가만히 귀를 막고 몸 안의 소리를 번역하는 일에 몰두했다. 심장은 주로 공사현장에서 삶의 대부분을 살아온 거친 사내의 목소리를 닮았다. 함부로 술을 퍼마시고 아무데서나 오줌을 갈겨대며 수많은 애송이들에게 비논리적으로 노동과 술의 신성함을 논하는 지저분하고 진지한 사내의 목소리. 그런 의미에서 심장은 가장 밑바닥 노동자다. 생존을 위해 고된 일을 쉬지 않는 심장은 사랑이다. 사랑은 누군

멸망하는 존재

가를 위해 일을 하는 것이다. 그런 의미에서 인간은 사랑을 위해 태어난 것일지도 모른다. 심장이 사랑을 향해서만 힘차게 뛰는 이유도 그 때문일 것이다. 타인을 사랑하는 일. 그것이 심장이 하는 일이라고, 그것이 인간이 유일하게 해야 할 일이라고. 나의 심장은 누구를 향해 뛰는가. 나는 술을 마시면 특히 심장의 목소리를 듣는 일을 즐겨했다. 그건 늦은 밤 홀로 옛사랑을 생각하는 일처럼 뜨겁고 뭉클한 일이었지만 그로인해 분명히 살아있다는 것을 깨닫게 되는 일이기도 했다. 나에게 심장소리는 그런 의미에서 그리움이기도 했다. 심장이 뛰는 소리가 들리면 갑자기 지나간 모든 것들이 보고 싶어졌다. 그런 생각을 하다가 나도 모르는 사이에 정신을 잃었다.

어딘가 누워있다. 양지바른 곳이다. 내 몸은 흙이다. 머리칼이 부추처럼 자란다. 팔뚝에서 들풀들이 자라나고 뱃속에서 구더기같은 꽃이 피어난다. 나는 조금씩 사라진다. 고통스럽지 않다. 나는 無다. 나는 아무것도 아니다. 아무것도 아니다. 평안하다. 누군가 묻는다. 도대체 너는 무엇을 위해 아직도 살아있는가. 어디서, 어디에, 어디를, 어디에 살아 있는가.

길고 험한 꿈을 꾸고 난 듯하다. 눈앞이 희붐하다. 다시 음악 소리가 들렸다. 앞에 놓인 위스키 병을 들고 얼음에 섞어 조금조금 마셨다. 들큼한 오크향이 입안에 퍼지듯 삶이 나를 가득 품고 있다고 느꼈다. 스튜디오 벽 모서리에 딱 맞는 가구처럼 기대어 앉았다. 새로 칠한 지 얼마 되지 않았는지 시너에 희석된 페인트 냄새가 옅게 묻어났다. 나는 마치 루다가 된 것처럼 내가 무엇을 이룰 수 있을까, 라고 작게 뇌까렸다. 시간이 나를 끌고 성큼성큼 뛰어가는 것 같았다. 나는 무엇보다 빠르게 늙어가고 있다고 생각했다. 그러다 문득 내 옆에 루다가 비스듬이 기대어 앉아 있다는 것을 알 수 있었다. 취한 루다는 언제나처럼 계속 웃었다. 웃는 입 꼬리가 물음표처럼 예쁘다고 생각했다. 루다는 분명 곧 울음을 터뜨릴 것이다. 그러고보면 웃는 것과 우는 것도 애초에 같은 것일지도 모른다고 생각했다. 기쁨이나 슬픔도 결국 시간이 지나면 하나의 감정으로 윤색되기 마련이니까. 그래서 루다가 웃는 것은 우는 것이고, 우는 것은 웃는 것이라고 생각했다.

  함께 웃고 함께 우는 것.

  누군가 인간이 인간을 위해 할 수 있는 가장 유의미한 일이 무엇이냐고 묻는다면 나는 그렇게 대답해야겠다고 생각했다. 루다가 무슨 말을 하는지 정확히 알 수 없었지만 계속해서 무언가 같은 말을 하면서 웃었다. 나는 눈주름이 잔뜩 드러날 만큼 함께 웃어 주었다. 이상하게도 웃으면 웃을수록 울음이 터질 것 같았다. 나는 서둘러 밖으로 나가야겠다고 생각했다.
  날이 어느덧 시무룩한 사람처럼 어둑해져있었다. 저녁이다. 세계가 모두 점호를 받고 있는 군인들처럼 꼼짝하지 않고 있는 것 같았다. 바람 한 점 불지 않았다. 마치 고즈넉한 도심의 풍경을 담담하게 그려낸

멸망하는 존재

유화 속에 있는 것 같기도 했다.

그때, 길 건너 공원 계단에서 한 사내가 뒷걸음으로 계단을 내려오고 있었다. 그 사내를 가만히 보고 있자니 정말로 눈물이 흘렀다. 어딘가 구멍이 난 것처럼 눈물이 계속 흘러나왔다. 계단을 거꾸로 내려가는 사내가 팔을 앞뒤로 흔들면서 몸에 균형을 맞추면 맞출수록 나는 균형을 잃는 것 같았다.

봄이 지나면 여름이 온다. 여름은 가을이 되고 겨울이 될 것이다. 그래서 봄 여름 가을 겨울은 모두 하나다. 삶과 죽음이 하나이듯. 나에게도 결단코 벌거벗은 무덤처럼 겨울이 올 것이다.

부디 루다의 겨울이 따뜻하고 평안하길….

담배를 진작에 던져 버렸는데도 눈물이 멈추지 않아 발차기를 해야겠다고 생각했다. 무엇이든 걷어차고 나면 기분이 나아질 것 같았다. 있는 힘껏 다리를 들어 올려 묵직한 공기를 걷어찼지만 볼품없이 넘어지고 말았다. 누군가 봤다면 정말 형편없이 우스운 장면이었을 것이다. 엉덩이뼈가 찬물에 댄 충치처럼 시렸다. 덕분에 눈물이 쏙 들어갔다. 어쨌든 목적은 달성했다. 계단을 뒷걸음으로 내려오던 사내가 다시 계단을 오르는 것을 보면서 생각했다. 다시 돌아가야 한다.

무택 씨는 회화 같은 사람인 것 같아요. 뭔가 그런 느낌이 들어요. 한 번에 쓱 보고 지나갈 수 없는 그런 작품들이 있어요. 무택 씨가 그래요. 걸음을 멈추게 하는 그런 힘이 있어요. 진짜 예술은 멈추게 하잖아요. 우리도 그렇게 지내요. 가끔 만나면 서로의 인생을 잠시 멈추고 서로의 삶을 바라봐주는. 보고 싶은 것을 볼 수 있게 하는 힘. 그게 예술이잖아요.

루다는 추체험을 얘기하는 것 같기도 했고 문예회관에서 시낭송을 하는 것처럼 다소 격양되어 있는 것 같기도 했다. 어쨌든 루다의 말들이 나에게 얼마간의 위안을 주거나 기대를 준 것은 사실이었다. 나는 그것의 옳고 그름을 떠나서 사람에 대한 기대를 갖는다는 것이 어쩌면 무엇보다 비겁한 짓이 될 수도 있다는 생각을 했다.

우리가 저녁 노을처럼 계속해서 안으로 붉어지는 동안 계단을 거꾸로 내려오는 사내는 몇 번이고 반복해서 계단을 오르락내리락 했다. 루다는 눈물을 흘리는 것 같기도 했고 아닌 것 같기도 했다.

∞

K와 U는 청첩장 대신 부고를 보내왔다. 개인정보 활용에 동의한 적도 없지만 몇 해 전부터 계속 날아오던 동문회 문자메시지를 통해서였다.

멸망하는 존재

부고. 09학번. K, 09학번 U. 동문 본인상

빈소 H대학교병원 장례식장

발인 6월 22일(화요일) 오전 8시

장지 수원시립 승화원

∞

그들의 26년 인생은 짧고 간결한 문자메시지로 끝이 났다. 나는 그 어디에도 가지 않았다. 그들의 갑작스런 죽음의 원인도 알려고 노력하지 않았다. 그게 내가 마지막으로 그들에게 할 수 있는 최소한의 배려라고 생각했기 때문이다.

멸망하는 존재

심연속으로 가라앉고 있는

메뚜기가 조금조금 갉아먹고 있는 것처럼 머리가 아팠다. 나 따위야 그러거나 말거나 상관없다는 듯이 지구는 오늘도 엄청나게 **빠른** 속도로 돌아갔고 TV 속 연예인들도 무언가를 쉴 새 없이 떠들어댔다. 나는 계속해서 침대에 누워 지구의 자전을 지켜보고 있었다. 그래서 그런지 계속해서 속이 메스껍고 어지러웠다. 구역질이라도 시원하게 했으면 싶었지만 그것도 쉬운 일은 아니었다. 누군가 늙은 호박에 그러는 것처럼 내 뱃속을 박박 긁고 있는 것 같았다. 뱃속에 뭐라도 좀 구겨 넣으면 나아질 것 같았지만 꼼짝하기 싫어 그냥 계속 누워있었다. 조갈증에 시달렸지만 물을 마시는 것조차 귀찮았다. 말 그대로 딱 죽고 싶은 그런 상태의 연속이었다.

　　수돗물을 실컷 퍼 마시고 다시 침대에 누워 천장을 보고 있는데 누군가 계속해서 커다란 삽 따위로 내 얼굴에 절망을 퍼 붓고 있는 것처럼 우울해지기 시작했다. 얼추 술이 깨고 있다는 신호였다. 숙취의 끝엔 항상 우울이 왔다. 섹스를 끝내고 난 직후에 찾아오는 허무나 황 망함처럼.

정말이지 술을 잔뜩 마신 다음날은 살아야하는 이유를 단 한 가지도 찾을 수 없었다. 평상시에는 식욕이나 성욕이 때때로 살아야하는 이유를 대신 말해주기도 했지만 술을 마신 다음날은 모든 욕망과 의욕을 변기통에 집어넣고 물을 내려버린 것처럼 아무런 의지가 생기지 않았다. 루다의 결혼식을 생각하니. 쥐구멍이 아니라 침대 밑이라도 들어가 숨고 싶은 심정이었다. 그보다 그냥 이대로 관속으로 들어가는 것이 훨씬 나을 것 같다는 생각을 했다. 만약에 내가 이 지독한 숙취와 우울에서 벗어나 다시 살아갈 의지가 생긴다면 만약 그런 일이 일어난다면 다시는 술을 마시지 않겠다고 다짐했다.

이런 일이 매번 반복되었지만 나는 죽지도 않았고, 술을 마시지 않은 적도 없었다. 그러고 보면 인간은 정말이지 형편없는 족속인 것이 분명했다. 그렇게 지구가 돌고 도는 동안 나는 입관한 송장처럼 누워 있었다. 또 그런점에서 보면 인간이 새삼 대단하다는 생각을 하기도 했다. 저녁이 되자 상처에 새살이 돋듯 조금씩 식욕이 돋았다. 그러는 사이 류가 체인점에서 판매하는 전복죽을 사들고 왔다. 오자마자 죽이 든 종이가방을 책상에 올려두고는 목욕탕에 온 사람마냥 옷을 벗고 내 침대로 뛰어들었다.

류는 맨몸으로 나를 안아주었다. 따뜻했다. 나는 매번 그런 알몸의 류를 통해 인간이 온혈동물이라는 사실을 깨달았다. 류는 언제나 따뜻하고 좋은 여자였다. 사념 따위를 찾아볼 수 없을 만큼 순결성을 가

심연속으로 가라앉고 있는

진 인간이었다. 그런점에서 나는 항상 그녀가 무엇보다 존귀한 존재라고 생각했다.

나는 그렇게 류와 주말 내내 침대에 누워 자다깨다를 반복했다. 가끔 지독하게 심심하다고 느낄 때는 영화 〈조제, 호랑이 그리고 물고기들〉을 보았다. 그것도 지겨워지면 영화 속 쿠미코처럼 프랑수아즈 사강을 함께 읽었다. 사강을 읽으면서 우리는 '나는 나를 파괴할 권리가 있다'는 말을 반복하며 숨이 막힐 정도로 방안에서 담배를 피워댔다. 우리가 가장 사랑하는 일 중에 하나였다.

나는 문득 루다의 결혼식 날 계단을 거꾸로 내려가던 사내가 떠올랐는데 그 사내는 입이 없었던 것 같다는 생각이 들었다. 어쩌면 그게 나였는지도 모른다고 느꼈다. 어쩌면 모든 것이 내 망상이 아니었을까. 나는 그런 생각이 들 때마다 서둘러 담배를 입에 물었다. 담배 연기를 길게 내뱉으면 왠지 모르게 모든 것이 정리 될 것 같았기 때문이다.

몰디브 해변에 누워 일광욕을 즐기고 있을 루다를 생각하면 할수록 그리고 그 옆에서 형편없는 자기개발서를 읽고 있을 것 같은 그의 남편을 생각하면 할수록 나는 그것이 비현실적으로 느껴졌다. 루다의 결혼도 내가 술에 취해 만들어낸 허상이 아닐까 하는 생각을 했다. 그래서 그랬는지 루다에게서 푸른 바닷가 한 가운데 우뚝 서있는 원두막 같은 형체가 담긴 사진이 메시지로 왔을 때 나는 그것이 판타지영화의 한 장면처럼 느껴졌다. 루다는 아무말없이 사진 한 장을 보내왔다. 무슨 사건의 결정적인 증거 사진이라도 되는 것처럼 나는 그 비현실적인 색을 내뿜고 있는 바닷물을, 매끈한 통나무집을 오래도록 바라보았다.

　류의 날숨에서 들큼한 담배 냄새가 났다. 나는 한쪽 눈을 찌푸리고 담배를 피우는 류의 모습을 가장 사랑했다. 딱 한번 사랑스럽다고 말해야하는 순간이 온다면 바로 그 순간일 거라고 생각했다. 류가 고뇌에 찬 표정으로 한쪽 눈과 미간을 잔뜩 찌푸리고 길고 하얀 담배연기를 내뿜는 순간 말이다. 나는 류를 보면서 루다를 잊었다. 분명 인간은 인간을 통해 인간을 잊는다. 나는 류와 함께 수많은 담배를 피웠다. 분명 담배의 발암물질 때문에 수많은 인간이 죽어나갔겠지만 반대로 담배 덕분에 그 정도의 인간이 스트레스의 지옥에서 건져져 목숨을 지켜낼 수 있었을 것이다. 인간세계에서 절대 악한 것도 절대 선한 것도 존재하지 않고, 모든 것에는 작용이 있으면 딱 그만큼의 반작용도 있기 마련이니까.

심연속으로 가라앉고 있는

허무라는 바다

류를 처음 만난 것은 을지로 3가 청계천변에 있는 허름한 막걸리 집이었다. 아무렇게나 짧게 자른 헝클어진 머리칼과 미간을 잔뜩 찌푸리고 담배에 불을 붙이고 있는 그녀의 표정이 이상한 감정을 불러일으켰다. 마치 지구에서는 처음 들어보는 이상한 장르의 음악을 듣고 있는 것 같은 기분이었다. 나는 평소 이상한 작품을 쓰는 이상한 인간들에다소 흥미를 느끼고 있었기 때문에 그녀의 이상한 표정과 말투에 점점흥미를 느꼈다.

만화 캐릭터에서나 나올법한 왜소한 체구에 언뜻 봐서는 미소년처럼 보이는 얼굴, 냉소가 가득한 미소가 그 독특하고 이상한 분위기에조미스프처럼 잘 어울렸다. 말끝에 설핏 느껴지는 고독같은 어두운눈빛은 가슴 깊숙이 슬픔을 매장한 사람처럼 보였다. 나는 낯선 나라에서 살고 있는 나와 똑같이 생긴 사람을 본 것 같은 섬뜩한 기시감을느꼈다.

우리는 누가 먼저랄 것도 없이 막걸리를 잔뜩 마시고 거나하게 취했다. 그 상태로 도심의 비좁은 골목골목을 춤을 추듯 걷다가 찾아간 좁은 여관방에는 금세 우리 두 사람의 날숨에서 묻어난 시큼한 막걸리 냄새로 가득 찼다. 한참을 엎치락 뒤치락 서로의 몸과 몸을 포개다가 편의점에서 사온 맥주를 꺼내 마시고 담배를 나눠 피웠다. 잠은 집에 가서 자자. 그녀는 땀을 조금 흘리고 나더니 술이 몽땅 분해된 사람처럼 눈을 동그랗게 뜨고 말했다. 우리는 맥주를 다 마시고 나서 침대 옆에 붙어 있는 커다란 거울로 서로의 맨몸을 바라봤다. 다른 세계에 앉아 있는 낯선 생물체를 관찰하듯 꽤 오랫동안 알몸으로 의식을 치르는 사람들처럼 앉아 있다가 좁고 어두운 여관을 빠져나왔다. 그리고는 바이올렛 극세사 침구가 깔려있는 내 침대에 나란히 누워 밤이 새도록 떠들어댔다. 그날 우리가 무슨 말을 나눴었는지 몇 번이고 기억을 끄집어내려 노력해봤지만 도무지 기억이 나지 않았다.

새벽의 안개 같은 대화와 낯선 웃음. 하오의 햇볕 같은 따뜻함. 류.

∞

류가 눈뜨자마자 협탁에 놓아 둔 책을 집어 들었다. 카프카의 〈소송〉 남태평양의 바다처럼 푸른색의 하드커버가 마음에 든다며 오래도록 고양이처럼 쓰다듬었던 책이었다. 그녀는 잠들기 전에 그리고 잠에서 깨어나자마자 30분정도 가수면 상태로 책을 읽었다. 그래야 꿈꾸듯

허무라는 바다

읽을 수 있다고 말했다. 소설의 세계와 현실의 중간쯤의 어딘가에 살고 있는 기분이 술에 취했을 때보다 곱절은 좋다고 말했다. 나는 그녀와 머리를 맞대고 그녀가 읽고 있는 카프카를 같이 읽었다. 나는 사람도 책도 첫 문장이 전부라고 생각했다. 처음 만나는 사람의 첫 문장이 그 사람과의 관계를 결정하듯. 소설의 첫 문장을 읽고 이 두꺼비같은 놈을 끝까지 읽을 것인가, 말 것인가를 결정하기 때문이다.

나 사랑해?

류가 가만히 천정을 보고 물었다.

그럼. 그물에 걸려서 척추측만증에 걸린 오징어 수만큼 사랑하지.

내가 심상하게 대답했다.

빽큐.

류가 차가운 발바닥으로 내 몸을 밀어내며 말했다.

아무것도 생각나지 않아. 분명 전부 읽었는데.

한참을 가만히 누워있다가 내가 말했다.

응?

소설 말이야.

괜찮아. 소설을 기억하라고 읽는 건 아니니까.

기억하지 못하면 무슨 의미가 있을까?

그냥 지금 이렇게 따뜻하잖아.

류가 돌아누운 나를 끌어안으며 말했다. 류의 뭉근한 몸의 열기가 내 몸을 데웠다.

나도 잊혀지기 싫어.

모든 게 잊혀지지 않거나 어떤 형태로든 끝까지 남아있으면 아마 인간들은 전부 물 밖으로 건져 낸 물고기처럼 금방 미쳐 버렸을 거야.

나 잊으면 안 돼.

죽지않는다면 그렇게 할게. 그때는 나도 어쩔 수 없지.

그래. 좋아. 죽을 때 까지만 기억하도록 해. 그리고 너무 빨리 죽지도 마.

그건 왜?

네가 죽으면 그 안에 있는 나도 같이 죽는 거니까.

그래, 그렇게. 그렇지만 그건 내가 어쩔 수 있는 문제는 아니야. 내 심장이 뛰지 않겠다고 하면 나는 꼼짝없이 그래야 하니까.

기도해줄게. 네 심장이 멈추지 않기를.

그래. 고마워.

바닷소리가 들려.

류가 내 배에 한 쪽 귀를 대고 누워서 말했다.

나는 지금 허무라는 바다를 항해하는 중이니까.

도대체 그런 헛소리는 어디서 배우는 거야?

신촌역 4번 출구 앞에 학원 있어.

류가 쿨럭쿨럭 웃었다. 그 순간 우리의 청춘이 가장 빠른 속도로 빛나고 있다는 것을 느낄 수 있었다.

일어나야겠다. 나 오늘 서양미술사 수업 있어. 내 브래지어 못 봤어?

나는 발가락 끝에 걸리적거리던 류의 속옷을 집어 주었다.

허무라는 바다

사랑이 뭐라고 생각해?

류가 돌아 앉아 내 서랍에서 꺼내 입은 흰색 뉴욕양키즈 티셔츠를 들어 올리며 말했다. 머리끝부터 엉덩이까지 척추골을 따라 길게 서예 붓으로 길게 선을 그어놓은 것처럼 근육이 깊게 패어있었다. 초승달처럼 부드럽게 구부러진 허리가 날카로운 칼날처럼 빛났다.

나는 그대로 누워 그녀의 질문을 되물었다.

사랑이 뭘까?

사랑이 뭐냐면 사랑은 ㅁ이 ㅇ이 되는 거야. 잘 봐봐. ㅁ을 계속 쓰다듬다보면 ㅇ되듯이 사람도 계속 쓰다듬으면 사랑이 되는 거야. 어때 그럴 듯 하지?

류가 손가락으로 그림을 그리듯 자음 두 개를 그려가며 말했다. 그리고는 내 어깨를 쓰다듬었다.

이렇게 쓰다듬다보면 사람이 사랑이 되는 거야. 알겠어?

죽지 마.

나는 류의 손을 잡고 말했다.

응?

죽지 말라고.

왜? 내가 죽을 것 같아?

응.

물론 언젠가는 죽겠지. 걱정하지 마. 지금은 아니야.

나도 그래. 약속했다. 죽는 날까지는 서로 기억하기로.

아마도. 그럴 거야. 햇살에 부서지는 바나나처럼 웃어 주는 여자는 너 밖에 없을 테니까.

∞

나는 브루스와 딱 한번 바다에 간 적이 있다. 그와 나는 오로지 석양을 위해 그 자리에 앉아 있었다. 토할 것처럼 뜨거운 여름날이었다. 그럼에도 불구하고 우리는 소나무 그늘 아래 앉아 파도의 포말같은 맥주를 마셨다. 그리고 밀물처럼 끝없이 서로의 말들을 뱉어냈다. 대체로 후회에 관한 이야기였던 것으로 기억한다. 인간은 후회를 위해 태어났다고 말할 수 있을 정도로 모든 후회에 대해 말했다. 브루스는 스쳐지나간 수많은 사랑에 전부 빠지지 못한 것이 가장 큰 후회라고 말했다. 그중에서도 지나고 나서야 그것이 사랑이었구나, 하고 깨닫게 되었던 스무살의 풋사랑에 대해 길게 얘기했다. 그 허름하고 눅눅한 사랑. 가진 것이 그것뿐이라서 서둘러 서로의 체온을 나누어주던, 한없이 퍽퍽하기만해서 질펀하게 엉켜 서로의 인생을 오래도록 애무하던, 오래된 여관 같은 사랑. 남아있는 날들이 말할 수 없이 쓸쓸하다고 하더라도 그 풋내 나는 사랑을 다시 한 번 해보고 싶다고 말했다. 비릿한 바닷바람, 그리고 차가운 맥주와 잘 어울리는 이야기였다. 우리는 끊임없이 맥주를 들이켰고 몇 번이고 고꾸라져 있는 사람처럼 구겨져 있는 소나무 그늘에 기대어 오줌을 갈겨댔다. 갯벌처럼 묵직한 취기가 온몸을 기분 좋게 짓눌렀다. 세계가 서쪽으로 기울기 시작했을 즈음 브루스는 말했다.

허무라는 바다

무택아. 이렇게 살아.

그는 모래를 한 줌 집고 모래시계처럼 조금씩 쏟아내며 말했다. 멀리 시뻘건 여름이 천천히 가라앉고 있었다.

낱 알갱이. 낱알. 이런 개별적인 존재가 돼. 누구도 부수거나 깰 수 없는 최소의 입자. 하찮아 보이지만 사실 바위보다 단단하고 커다란 존재거든. 홀로 존재하는 삶. 단독적인 인간. 그런 인간이 돼. 그게 무엇이든.

석양이 바다 끝으로 끌려가고 있었다. 그래서 그런지 핏물이 흘러 넘치는 것 같다고 생각했다. 이윽고 세계가 죽은 사람처럼 눈을 감았다.

나는 지금 살아있다고 느껴. 일몰의 순간 말이야. 인간은 죽음 앞에서 비로소 살아있다고 느끼는 멍청한 존재지. 저걸 봐. 저 처절한 생의 일몰을.

브루스는 일몰에게 건배를 하듯 맥주를 치켜들고 말했다.

진짜로 살자. 형편없어도 좋아. 그냥 진짜 우리의 인생을 살자.

취했어.

내가 심상하게 대답했다.

배고프다. 그만 일어나자. 바다에 왔으니 살아있는 걸 먹어야지.

브루스는 바다에 어둠이 내리자 엉덩이를 탁탁 털며 일어섰다. 모래먼지가 연기처럼 폴폴 나부꼈다.

우리는 근처 수산물직판장에서 정말로 살아있는 것들을 수조에서 꺼내 먹기 좋게 잘라내는 것을 보았다. 잔인한 인간들. 나는 그 장면을 끝까지 목도했다. 도마에서 도륙되는 물고기의 피와 살을 지켜봤다.

죽음은 그렇게 간단하다. 새하얀 꽃잎처럼 변해버린 물고기의 살점을 상 가운데 올려놓고 나는 계속해서 맥주를 마셨고, 브루스는 소주를 마셨다. 창밖에 너울대는 수면위로 누군가 계속해서 먹물을 떨어뜨리고 있는 것처럼 어둠이 번지고 있었다. 어둠이 짙어질수록 우리의 몸속 알코올 농도도 짙어졌다. 우리는 정신을 잃을 정도로 술을 마신 후에야 근처 여관에 몸을 눕혔다. 파도 소리와 함께 옆방 창문을 통해 젊은 남녀의 신음소리가 들려왔다. 우리는 창문을 닫지 않았다. 한동안 파도와 함께 클클클 웃다가 잠이 들었다. 어쩌면 삶이란 그뿐일지도 모른다.

파도소리가 아득히 멀어져가는 밤이었다.

∞

그냥 일을 했다.

계약만료일이 다가올수록 조금은 조급해지는 것 같기도 했으나 대체로 언제나 그랬듯 무엇이 됐든 호들갑 떨 일은 아니라는 생각이었다. 진열대에 조명을 쐬며 늘어져있는 전시품을 둘러보며 그것들의 무용함에 대해 생각 했고 지난주 공방에서 들여온 나전함의 포장을 벗겨내는 일의 가치에 대해 생각했다. 그러다 문득 둘러본 책상 한 구석에 루다의 청첩장이 탐정영화의 증거물처럼 놓여 있었는데 겉봉투에 적혀진 내 이름 꼬리에 조그맣게 하트가 그려져 있었다. 미친, 하고 나

허무라는 바다

도 모르게 낮은 소리를 내뱉고 나서 내가 미친놈이지, 라고 속엣 말을 했다. 그녀의 청첩장을 다시 보니 으스스 온몸에 소름이 돋는 것 같았다. 하! 하고 짧고 크게 한숨을 내뱉었다.

나는 메신저에서 루다와 윤과 몸에서 오이장아찌 냄새가 나는 남편과 살고 있는 정선배를 찾아 친구차단을 신청했다. 애초부터 친구가 아니었는데 차단을 하는 게 무슨 의미가 있나 생각했지만 친구차단을 신청하니 오래된 친구였던 것 같기도 했다. 그러고 났더니 담배생각이 간절했다. 대놓고 다리를 떨 수 있어서 발차기를 시작했듯 대놓고 한숨을 쉴 수 있어서 담배를 배웠다. 내가 스스로 한 일 중에 담배를 배운 일이 가장 잘한 일이라고 생각했다.

루다는 결혼을 했다. 결혼을 한다고 해서 루다가 다른 사람이 되는 것도 아닌데 이상하게 더이상 루다가 아닌 것 같다는 생각이 들었다. 그런 생각들을 하면서 심하게 다리를 떨었다. 다리를 떨며 알 수 없는 리듬의 콧노래를 흥얼거리다 보니 기분이 한 결 나아졌다. 어쩌면 인생이라는 것도 이렇게 다리를 떨어대며 콧노래를 부르는 것처럼 간단한 일일지도 모른다고 생각했다. 그런 생각을 하니 이렇게 사는 것도 나쁘지 않은 것 같다는 생각이 들었다. 결혼한 루다가 나 따위가 느끼는 감정은 아무것도 아니라는 듯이 제 맘대로 행동하는 것도, 내가 루다의 결혼식에서 형편없이 취해버린 일도 어쩌면 다리를 떨어대는 일처럼 아무것도 아닌 일 중에 하나일 뿐이라고 생각했다.

하루하루가 무명의 행인처럼 나를 지나쳐갔다. 나와는 아무 상관도 없다는 듯이 그렇게 무심하게 지나쳤다. 그런 나날들이 이어졌다. 나

역시 스쳐 지나가는 하루하루를 그저 지켜보는 일 말고는 특별히 무슨 일을 하고 있다고 느끼지 않았다. 엄마는 간혹 전화를 해 생사를 확인하고는 끊었다. 하루는 어떤 영감탱이랑 같이 살게 될지도 모르겠고 말하면서 마치 자신이 청초의 소녀라도 된 것 마냥 수줍어하며 끊어버린 적도 있었다. 내가 살면 얼마나 살겠니, 라는 말을 덧붙이면서 말했지만 그 말에는 남아 있는 삶을 악착같이 살겠다는 간절한 의지가 담겨 있었다. 엄마가 나이가 들수록 시간이 정말 빨리 가는 것 같다고 호들갑을 떠는 것도, 모든 게 옛날 같지 않다고 너스레를 떠는 것도, 어쩌면 그 순간이 엄마의 인생에 있어 가장 빛나는 순간이기 때문인지도 모른다고 생각했다.

　나는 전시장 구석에 놓인 내 책상에 앉아 나는 나를 무엇이라고 불러야 할까? 라고 메모지에 적어 놓고 그 주변을 둥글게 색칠하며 도대체 이게 무슨 말인가, 하고 생각하고 있었다.　한참을 나는 나를 무엇이라고 불러야 하나, 라고 생각하고 있는데 대뜸 잘 지내? 라고 루다에게 메시지가 왔다. 나는 잘 지내는 것이 무엇일까 잠시 생각하다가 그냥, 이라고 대답했다. 그리고는 루다에게 다시 한 번 물어봐야겠다고 생각했다.

허무라는 바다

실패하기 위해 태어난

무택 씨가 그래.

네가 말했다. 나는 긍정도 부정도 아닌 표정을 지어야겠다고 생각하고 고개를 주억거렸다. 무택 씨한테는 사람을 차분하게 만드는 어떤 힘이 있어. 뭐랄까. 〈강원도의 힘〉처럼 실재하지는 않지만 분명히 느껴지는 그럼 힘. 무택 씨가 조곤조곤 말하고 있는 소리를 듣고 있으면 그게 말소리가 아니라 꼭 빗소리 같아. 무택 씨가 그래. 왜 장마철에 하루종일 빗소리 듣고 있으면 마음이 빗물처럼 바닥에 고이는 듯한. 뭔가 조금 우울한데…편안한? 그런 기분이랄까. 무택 씨를 만나면 그런 기분이 들어.

나는 너의 말을 듣고 그렇다면 내 인생도 아예 실패한 것은 아닐 지도 모르겠다고 생각했다. 강원도의 힘까지는 아니지만 어쩌면 나한테 정말 무언가 보이지 않는 힘이 있을지도 모른다는 생각이 들었기 때문이다. 순간 정말로 알 수 없는 힘이 나는 것 같기도 했다. 그래서 유치하게도 주먹을 불끈 쥐어보기도 했다. 그리고 다자이오사무나 류노스케처럼 성냥불같이 짧고 강하게 살다 요절한 천재들이 떠올랐다. 또 함민복 시인의 〈말랑말랑한 힘〉도 생각났는데 한때 나는 정말 그런 힘이 존재한다고 믿었던 때가 있었다. 그러나 종국에는 강원도의 힘이든 말랑말랑한 힘이든 그런 것들이 도대체 무슨 의미가 있나, 하는 생각으로 귀결되고는 했다.

요즘 들어 나는 이를 악물고 100미터를 달려 결승점에 도착한다고 한들 결국 그것이 무슨 소용인가, 하는 생각에 자주 빠졌다. 그 생각은 결국 어차피 죽어버릴텐데 산다는 게 무슨 소용인가, 하는 생각에 다다랐다. 그래서 그런지 대부분의 생활이 무기력하고 우울했다. 한편으로는 우울을 즐기고 있는지도 모른다고 느꼈다. 나의 권태와 우울이 뭔가 특별하다고 생각하기도 했기 때문이다. 나는 그날 내가 누구보다 편해졌다는 너의 말을 어느덧 내가 네 맘대로 만날 수도, 헤어 질수도 있는 그런 존재가 됐다는 뜻으로 받아들이기로 했다. 그것이 어떤 의미인지는 오래두고 생각하지 않기로 했다.

∞

카뮈는 죽음에 대한 모든 공포는 삶에 대한 질투에서 온다고 말했다. 그렇다. 희망이나 꿈이 크면 클수록 죽음에 대한 공포도 커진다. 그런 의미에서 나는 무엇에도 뜻을 두지 말아야겠다고 생각했다.

매일 같은 하루를 산다면 80년을 살든, 결국 하루를 산 것과 같지

실패하기 위해 태어난

않은가. 그렇다. 결국 인생은 하루의 반복, 그 이상도 이하도 아니다. 하루에 불과한 인생에 매달려본들 무슨 의미가 있을까, 나는 생각했다.

어차피 우리는 모두 죽는다. 그 사실은 천년 전에도 백년 전에도 변함이 없다. 가족들이 모두 죽고 나라는 존재 자체가 지구상에 생존했었다는 사실을 아무도 알지 못할 만큼 시간이 흐른 뒤에도 인간은 계속해서 태어나고 멈추지 않고 죽을 것이다. 인생이란 그것뿐이다. 태어나고 죽는 것. 그것도 아주 잠깐. 하루가 멀다하고 루다와 소주를 마실 때에도 나는 줄곧 그런 생각에 빠져 있었다. 한참 술을 먹다 루다가 갑자기 무택 씨. 내가 무엇을 이룰 수 있을까, 라고 같은 질문을 내 뱉을 때도 나는 그게 다 무슨 소용인가, 하는 생각을 멈출 수가 없었다.

근데 그 영화 봤어?

무슨 영화?

강원도의 힘.

아니.

나는 봤어.

강원도의 힘이 느껴져?

아니. 오히려 힘이 빠지는 것 같았어.

나는 갑자기 그 영화감독의 콧수염이 떠올랐는데 콧수염하면 브루스를 빼놓을 수 없었다. 브루스는 생물학적 나이의 적고 많음의 상관없이 콧수염을 기른 인간들과 모임을 가졌다. 나는 브루스와 함께 십

여 명의 콧수염들이 모여 있는 것을 딱 한번 본 적이 있는데 그것은 마치 산책을 하다 만난 송충이 떼와 비슷한 공포를 자아냈다. 나는 그런 면에서 콧수염을 기른다는 것은 어쩌면 대단한 용기가 필요한 일 일지도 모른다는 생각을 했었다.

언젠가 브루스는 말했다. 인간도 메뚜기도 전부 한철이다. 그때가 어떤 상황이었는지 정확하게 기억할 수는 없지만 아마도 내가 2차 성징에 페니스가 아무 때나 제 맘대로 딱딱해지던 때였던 것 같다. 나는 그때 그게 무슨 소리인지 정확히 이해하지 못했다. 한철이라고 생각해서인지는 모르겠지만 브루스는 계절과 상관없이 동물의 가죽으로 만든 점퍼를 입고 다녔고, 두 손을 들고 벌을 서는 것처럼 타야만 하는 오토바이를 탔다. 브루스는 매일 반딧불이처럼 오토바이 엉덩이에 불을 붙이고는 어디론가 떠났다가 며칠 만에 돌아와서는 반드시 그래야만 한다는 결연한 태도로 죽은 사람처럼 잠만 잤다.

브루스는 그렇게 한철 메뚜기처럼 펄쩍펄쩍 뛰다가 강원도의 어느 한적한 국도에서 인생에 가장 큰 위기를 맞이하기도 했다. 다행인지 불행인지 인근 CCTV가 브루스의 모습을 고스란히 저장해두었다. 우리가 그 영상을 볼 수 있었던 이유는 브루스가 계속해서 뒤에서 누군가 자신의 오토바이를 치고 도주했다고 주장했기 때문이다. 경찰서를 찾아가 범인을 반드시 찾아야 한다고 소리치던 브루스는 영상을 보고서야 잠잠해졌다. 오토바이는 고속방지턱을 터무니없는 속도로 뛰어넘고 나서 제 속도를 이기지 못해 휘청거리다 차도와 보도를 구분하기 위하여 차도에 접하여 설치된 연석을 들이받았다. 오토바이가 성난

실패하기 위해 태어난

황소처럼 엉덩이를 치켜들고 브루스를 떼어냈다. 나는 사람이 야구공처럼 중력을 이겨내고 아주 멀리 날아가는 것이 가능하다는 것을 그때 알게 되었다. 얼마 지나지 않아 공포영화의 한 장면처럼 가로등 밑 동그란 빛 속으로 검은 형체가 나타났다. 브루스였다. 허벅지 바깥쪽에 자상을 제외하고는 크게 망가진 곳은 없었다. 다음날 만난 브루스는 멋쩍게 웃으며, 하마터면 죽을 뻔했다며 무용담을 늘어놨다. 여기저기 사나운 고양이에게 할퀸 것처럼 찰과상을 입고 한쪽 팔에 깁스를 감고 있었지만 연신 즐겁다는 표정이었다. 석고에 낙서라도 받고 싶어 하는 눈치였다. 병원 밥도 맛있고 침대에 붙어있는 텔레비전도 생각보다 채널이 많고 무료로 볼 수 있는 영화도 있어서 이만한 곳이 없다고 말했을 때 그의 아내는 지구상에 이보다 한심한 동물은 없다는 표정을 짓고 있었다. 브루스는 그날 내 귀에 대고 이렇게 속삭였다. 내가 얼마나 엄청난 낙법을 구사했는지 봤어야 한다고.

루다를 다시 만난 건 결혼식이 끝나고 불과 한 달 정도가 지났을 무렵이었다. 나는 그동안 아무 생각 없이 일을 했다. 9시에 출근을 하고 정오가 되면 지하 구내식당에 내려가 밥과 찬을 담아 입안에 구겨 넣고 나서 자리로 돌아와 책상에 앉아 무려 한 달째 읽고 있는 소설을 읽었다. 서너 페이지 정도를 읽다가 잠이 오면 그대로 낮잠을 청했다. 당시에는 피터한트케를 읽다 잠이 드는 것만큼 황홀한 일은 없다고 생각했다. 점심시간에는 아예 전시실 철제셔터를 내리고 대놓고 잠을 잤다. 책을 읽기 위해 잠을 자는 건지, 잠을 자기 위해 책을 읽는 것인지는 확실히 구분할 수 없었다. 류가 말한 것처럼 소설 속 세계와 현실의 중간. 나도 그 시간을 가장 좋아했다. 그러다가도 1시가 되면 정확히 눈이 떠졌다. 나는 전시장에 앉아 중간중간 커피를 마셨고 낱개로 포장된 초콜릿 따위를 까먹다가 6시가 되면 여지없이 직립했다. 한 달이라는 시간은 그렇게 지나갔다. 매일 같은 행동을 반복하며 사는 인생 그것이 그렇게 나쁘지는 않다고 생각했다. 한 달이 아니라 1년이고 10년이고 그렇게 지나갈 것이다. 아주 가끔 내 인생이 이렇게 끝나버릴 것이라는 생각에 진저리가 났지만 그렇다고 딱히 다른 짓을 하고 싶지는 않았다.

퇴근길에 루다와 자주 들렀던 바베큐집을 지나칠 때면 소주잔을 비워대는 루다의 얼굴이 아른거리기도 했지만 그럴 때마다 고개를 심하게 흔들면서 루다를 지우려 애썼다. 언제나 그렇듯 루다는 이번에도 행인에게 난데없이 마이크를 들이대는 리포터처럼 불쑥 연락을 해왔다. 나는 매번 당하면서도 그런 루다의 무례에 응할 수밖에 없었다. 나는 다른 것도 마찬가지였지만 루다를 밀어낼 수 없는 이유를 도통 알 수가 없었다.

루다는 점심을 함께 먹자고 했다. 내장기관처럼 복잡하고 구불구불한 종로5가의 어느 골목에 위치한 닭 한 마리 집이었다. 왜 그곳이냐는 나의 물음에 역시나 너는 역시나 그나마 닭이 조금 덜 아플 것 같다는 이상한 대답을 했다.

무택 씨 사무실 안 들어가도 돼?

실패하기 위해 태어난

오후 반차 쓰고 나왔어. 낮술 마시자고 했잖아.

아 참. 그랬지. 맞아. 마시자. 낮술. 소주 마시자. 처음처럼.

너는 갑자기 밀린 숙제가 생각난 사람처럼 분주하게 행동하며 말했다.

나는 갑자기 낮술이라는 영화도 생각났는데 너에게 보았느냐고 물으려다가 그만두었다. 그 영화도 보고 나면 뭔가 힘이 빠지는 기분이 들기도 하고 아닌 것 같기도 했는데 나만 이렇게 사는 게 아니구나, 하고 조금은 위안이 되는 것 같다가도 영화가 끝나고 나서 다시 이렇게 사는 게 무슨 의미가 있나, 하는 생각이 들었던 것 같다.

무택 씨 오늘 나랑 잘래?

네가 다섯 잔, 하고 소주잔을 비우며 말했다. 머리칼이 희끗희끗한 나이 든 점원이 구석에 앉아 노란 행주로 수저에 붙은 물기를 닦으며 우리가 앉아 있는 테이블을 넘성거리고 있었기 때문에 나는 나도 모르게 흘끗 점원의 눈치를 봤다.

싫음 말고.

너는 동그랗고 커다란 양은 냄비 안에서 양념장을 뒤집어쓴 닭고기가 뽀득뽀득하면서 끓고 있었을 때 먹기 좋게 잘라놓은 당근을 한 입 베어 물고 말했다. 나는 그때 냄비 안에 토막 난 닭이 무척이나 뜨거울 것 같다는 생각을 하고 있었다. 닭이 돼지나 소보다 덜 아플 것 같아서라는 너의 말이 불현듯 생각났기 때문이었다. 그리고 아주 오랜만에 심장이 정신 나간 것처럼 뛰고 있었다. 덕분에 내 몸속에 장기의 실체를 감각으로 선명하게 확인할 수 있었다.

너의 말투가 지하철에서 우연히 만난 고교 동창에게 언제 밥 한번 먹자, 라고 말하는 것처럼 들렸기 때문에 나는 순간 네가 정말 졸려서 하는 말인가, 하고 너의 눈을 빤히 바라봤지만 그런 이유는 아닌 것 같았다.

왜?

그냥

그냥?

응. 그냥. 갑자기.

갑자기?

응. 갑자기 그런 생각이 들었어. 남자들은 이상해. 왜 여자들은 갑자기 섹스를 하고 싶어 하지 않을 거라 생각하는 거지? 본인들은 정작 섹스를 하면서도 섹스를 하고 싶다고 생각하면서. 설마 결혼한 여자의 순결 이런 생각하는 건 아니지?

짐승이다. 기필코 모든 인간은 짐승이다. 그리고 나는 욕정이야말로 모든 짐승에게 주어진 유일한 축복이라고 믿는 편이었다. 순결이라니. 가당치도 않다. 순결이야말로 관능의 순진무구함을 짓밟는 인간들의 얄팍하고 이기적인 술수라고 생각했다. 나는 관능이 찾아오면 언제고 나를 내어주고 그곳에서 머물 수 있을 만큼 머물러야 한다고 생각하는 인간이었다.

순결이라니. 나는 인간은 번식을 위해 태어난 존재라고 믿어. 인간이 할 수 있는 가장 순수한 유희라고 생각하기도 하고. 극단적으로 존

실패하기 위해 태어난

재의 이유는 그게 전부라고 생각하는 인간 중에 하나야.

나는 말을 하면서 내 얼굴이 조금 붉어졌을 거라는 생각을 했다.

번식이라니. 아니야. 인간은 실패하기 위해 태어난 거야. 그런 의미에서 나는 지금도 실패하고 있어. 더는 못 먹겠으니까.

루다는 젓가락을 들어 알루미늄 테이블에 탁탁하고 두들겨 모은 후 냄비 안에 빙산처럼 솟아 있는 닭가슴살을 아주 조금 뜯어 씹다가 그것을 다시 휴지에 뱉어냈다. 그리고는 젓가락을 앞 접시 위에 가지런히 걸쳐 놓으며 다시 말했다.

못 먹겠어.

왜?

닭도 많이 아팠을 것 같아.

응?

너무 아팠을 것 같아.

그래. 정말 그랬을 것 같다.

나도 젓가락을 내려 놓으며 말했다.

무택 씨. 그 무엇도 아프게 하지 말자.

그럴 수 있을까? 인간은 다른 존재의 고통을 먹고 사는 동물인데, 아무 것에도 상처를 주지 않고 홀로 살 수 있을까? 나는 불가능하다고 봐. 그런점에서 죽음만이 모든 고통과 작별하는 유일한 방법이야. 알맞을 때 죽어야해.

알맞은 때가 언제일까?

루다가 겨자소스를 한 움큼 씹은 사람마냥 코끝을 찡그리며 말했다.

음…엄마의 죽음이 당연하다는 것을 깨닫게 된 때? 그때가 무상을 깨닫게 되는 때가 아닐까. 다음 차례가 나라는 걸 인정할 때. 그게 너무나 당연하다는 걸 알게 된 때. 그때가 알맞은 때 같아. 그때가 되면 우리도 석양처럼 황홀하게 몰락할 수 있을지도 몰라.

내가 심상하게 대답했다.

나는 그 말을 하고 나서 식용동물들의 살이 뜯기는 고통에 대해 생각했다. 그 생각은 하면할수록 나도 모르게 자꾸만 입술을 깨물게 되었다. 입술을 깨물자 다시 이상한 생각이 들었다. 입술을 깨물면 입술이 아픈 걸까. 아니면 내가 아픈 걸까. 그런 생각을 하자 입술도 혀도 턱도 손가락도 전부 토막 난 닭고기처럼 각자의 개체가 아닐까 하는 생각에 이르렀다. 그러다 그렇다면 결국 나라는 건 뭐지, 하는 생각까지 하다가 주먹으로 머리를 한 대 때렸다.

왜 그래?

루다가 무리하게 신체를 혹사시키는 마술사를 본 것 같은 표정을 하고는 물었다.

응. 그냥. 뇌를 깨운 거야. 자고 있는 것 같아서.

루다는 상추처럼 웃었다.

나도 백오이처럼 웃어주었다.

루다는 그 후 정말로 닭고기를 먹지 않았다. 그날 루다는 닭 한 마리 집에서 닭이 아닌 닭이 먹을 법한 야채나 곡식만 주워 먹었다.

무택 씨 근데 요즘은 무슨 생각해?

나는 내가 무슨 생각을 하면서 살고 있을까? 라고 생각해 보았지만,

실패하기 위해 태어난

특별히 무슨 생각을 하면서 사는 것 같지는 않다고 생각했다. 그래서 그냥 아무렇게나 대답했다.

무의미에 대해 생각해.

무의미?

응 무의미.

그렇구나…무의미…아무튼 진짜 특이해. 무슨 무의미가 어제 본 드라마도 아니고 그런 걸 생각하면서 살아?

네가 일곱 잔째 소주를 따르며 말했다. 조금 취기가 올랐는지 목소리가 상기되어 있었다. 나는 질문하는 너의 표정이 금붕어 같아서 조금 우습다고 생각하면서 말했다.

그냥 생각하는 거야. 무의미. 의미 없음. 없음. 의미. 무. 없음. 유의미. 뭐 이런 식으로 말장난을 하기도 하고. 아니면 아주 사소한 것들의 무의미에 대해 생각해. 예를 들면 손가락으로 눈썹을 자주 긁는 편인데 이게 무슨 의미가 있나, 하고 한참 생각한다거나 지하철 선로에 떨어진 과자봉지를 쳐다보고 있다가 저게 무슨 의미가 있나, 하고 생각하기도 해. 생각보다 재밌어. 내가 선택할 수 있는 최선의 무의미에 대해 생각하는 일.

나는 한동안 되지도 않는 말을 해서 그런지 술기운 때문인지 모르겠지만 얼굴이 화끈거리는 것을 느낄 수 있었다. 심신의 상태가 정상이지 않을 때 술을 마시면 얼굴이 심각하게 빨개지는데 마치 화상을 입은 것처럼 눈두덩 위에서부터 이마까지만 붉어진다. 그런 이유로 물수건에 찬물을 조금 부어 연신 이마를 닦아댔다.

멋져. 왜 그런 거 있잖아. 엘리베이터를 타면 사람들이 전부 출입문 쪽을 바라보고 서 있는데 무택 씨만 출입문을 등지고 서 있는 사람 같아. 어려운 일이잖아. 그거. 다른 방향으로 서 있는 거. 무택 씨는 그런 사람 같아. 다른 사람.

다르지 않아. 그냥 모든 일에 최대한 관심을 두지 않으려고 노력하는 편이지.

무택 씨는 어떤 사람이 되고 싶어?

글쎄…그런 생각 해 본 적 없는데. 꼭 어떤 사람이 되고 싶어야 한다고 한다면, 나는 아무것도 안 되는 사람이 되고 싶어.

난 주목받으면서도 은밀한. 그런 사람이 되고 싶어. 화려하면서 신비로운 나비 같은 사람. 멋지지? 아름답다고 덥석 잡으면 바스스 부서질 것 같은 고추잠자리 날개 같은 사람. 화려하지만 이면에는 짙은 그늘이 있는 그런 사람.

루다는 그 말을 하면서 입을 살짝 벌리며 천정을 바라보았다. 형광등이 그녀의 얼굴에 작은 음영을 드리웠다. 나는 루다가 나비가 되어 후루룩하고 날아가는 상상을 했다.

나는 구석구석 사는 사람이 무서워. 왜 통에 담긴 아이스크림을 끝까지 긁어먹는 것 같이 하나도 남김없이 살아내고야 말겠다고 외치는 사람들 있잖아. 그렇게 하나도 빼놓지 않겠다는 태도로 구석구석 사는 사람을 보면 숨 막혀. 무택 씨는 그 반대의 사람 같아. 아이스크림이 바닥에 전부 쏟아져도 그런가보다, 하고 발로 툭 차버릴 것 같은. 무택 씨는 그런 사람 같아. 그리고 뭐랄까. 안개 같아. 같이 있는데도 없

실패하기 위해 태어난

는 것 같은. 잡을 수도 만질 수도 없는. 그런 부연 사람. 선명하지 않고 분명하지 않아서 자유로운. 그런 사람.

너는 리듬을 타듯 고개를 좌우로 흔들어대면서 말을 이어갔다. 말도 안 되는 독백이 난무하는 연극의 한 장면 같기도 했고 동란 이후 제작된 엉터리 무성영화 같기도 했다. 나는 네가 말하고 있는 동안 빽빽 소리를 내며 바닥을 드러내고 있는 냄비가 신경 쓰여 육수를 더 달라고 해야 하나 아니면 그냥 불을 꺼버릴까, 하고 생각했다. 그 때문에 이어진 너의 말을 정확히 알아듣지 못했다. 나는 다시 물어야 하나 생각했지만, 그 또한 무의미한 것 같아서 그냥 종업원을 불러 육수를 더 부어달라고 말했다.

오리배를 타는 인간은 두 부류가 있어. 미친 듯이 페달을 밟는 인간과, 그저 강물이 흘러가는 하류로 배가 떠내려가도록 가만히 놔두는 인간. 나는 그저 후자의 인간일 뿐이야. 아니 그렇게 살기 위해 노력하는 인간이라는 것이 정확하겠다. 물살을 거슬러 오르려고 노력하지 않는 것뿐이라고. 강물이 바다에 닿는 순간을 죽음이라고 치면 나는 내 인생이, 내 오리배가 그곳까지 제 맘대로 가게 내버려 두려고 노력해. 아무리 발버둥 쳐도 강물은 바다에 닿으니까.

우리는 서로 말도 안 되는 이야기들을 서슴없이 뱉어내기로 작정을 한 사람처럼 주거니 받거니 대화를 이어갔다. 나 역시 되는대로 지껄이는 것에 제법 흥미가 붙어 말이 입 밖으로 튀어나와 반찬 그릇 사이를 이리저리 휘청거리도록 내버려 두었다.

우리가 할 일은 이거 하나야. 끊임없이 삶 자체의 심장 속으로 파고 들어가는 것. 그러면 삶이 이렇게 말하지. 이 엿같은 인간들아. 너희는 스스로를 극복할 수 있느냐.

내가 거기까지 말했을 때 루다는 이미 많이 취해 있었다. 루다가 내 얘기를 전혀 듣고 있지 않다는 사실을 알았지만 그것은 중요하지 않았다. 다만 루다가 자신이 아름답다는 사실을 깨닫길 바랐고, 그렇게 빛나는 시절을 함께 하고 싶다는 생각을 했다. 그래서 언제 그 말을 해줘야 할지 타이밍을 찾고 있었다. 다른 건 몰라도 그 말만큼은 루다가 꼭 들어야 한다고 생각했기 때문이다.

무택 씨 나 이제 스물여섯이야, 그런데 여든여섯은 된 것 같아. 사는 게 왜 이렇게 재미가 없지? 너무 뻔한 것 같아. 결혼하고 나니까 모든 게 너무 선명해졌어. 시시해. 아무것도 없어. 산다는 거. 인간들도 전부……아무것도 아닌 것 같아.

루다가 열 두잔 째 잔을 비우며 말했다. 나는 사는 게 재미없는 건 스물이나 여든이라고 하는 생물학적 나이와는 아무 상관이 없다고, 그냥 사는 건 원래 재미없는 거라고 말하고 싶었지만 그만두었다.

재밌게 살아야 한다고 생각하니까 재미가 없는 게 아닐까? 행복해야 한다고 생각하니까 불행한 것처럼. 뭔가 악순환 인 거 같아. 마치 꿈을 이루세요, 라는 말을 들으면 꿈을 가져야 할 것 같은 생각이 드는 것과 마찬가지로 즐거운 하루 되세요, 라고 그만 인사를 해대니까 하루가 즐거워야 할 것 같잖아. 인생은 한 번뿐이니까. 꿈을 이뤄야 한다는 그 개 같은 말에 전부 속고 있는 거 아닐까. 루다씨 말대로 인생은

실패하기 위해 태어난

어차피 아무것도 없는 것이 맞을지 몰라. 재산을 남기는 것도, 이름을 남기는 것도 아무 의미도 없는 거라고. 아니 사실은 아무것도 남길 수 없을 거야. 내가 죽으면 아무것도 기억할 수 없을 테니까. 우리는 언젠가 기필코 흔적 없이 사라져 버릴 거라고. 강물을 따라 유유히 흘러가는 오리배처럼 그냥 흘러가는 것. 그러다가 갑자기 배가 뒤집혀서 허우적거리면 반대로 미친 듯이 살고 싶어질지도 몰라. 놔둬. 그냥. 아무 생각하지 말고. 그냥. 루다 씨 이름처럼 루다 씨가 자꾸 뭘 이루려고 하면 이루지 못한 사람이 되는 것처럼. 인생이 재밌어야 한다고 생각하니까 재미없다고 느끼는 거라고. 그냥 두자. 우리 그냥 아무 생각 없이 술을 마실 때는 술을 마시고, 잘 때는 자고, 웃고 싶으면 웃고, 하고 싶지 않으면 하지 말자. 그런 삶을 살려면 약간의 자본이 필요해. 돈은 하고 싶은 걸 할 수 있게 하는 측면보다 하고 싶지 않은 걸 안 해도 되는 데 꼭 필요한 거니까. 그런 의미에서 돈은 예술이랑 같아.

나는 먼지처럼 풀풀 거리며 말했다. 말을 끝내고 나서야 술주정이 도를 넘었다고 생각했다. 다음날 생각하면 목을 조르고 싶을 정도로 끔찍한 말들을 내뱉었다고 생각했다. 혼자 욕을 하며 머리카락을 쥐어뜯거나 이불을 걷어차는 행동을 하게 될지도 모른다. 그러나 네가 알사탕처럼 큰 눈으로 말도 안 되는 내 문장을 여과 없이 흡수하는 것이 제법 황홀하기까지 했기 때문에 그 이후에도 이성복 잠언집 따위나 그동안 소설을 읽으며 메모해 두었던 문장들을 떠올려 가며 나는 웅변에 중독된 학원생처럼 쉴 새 없이 떠들어 댔다.

우리는 완연한 봄처럼 흐드러지게 취했다. 마신 술이 전부 눈으로 갔는지 앞이 잘 보이지 않았다.

나는 모두가 취해있는 새벽시간의 골목과는 다른, 낮의 단단한 시선에 홀로 비틀거리는 것을 은근히 즐기고 있었다. 너는 열여섯 잔 이후로 더 이상 잔을 세지 못했다. 식당은 천천히 저녁 장사를 준비하고 있었다. 하나 둘 손님들이 들어왔고 낮과는 다른 활기가 생겼다. 해가 붉은 카펫을 깔고 서쪽으로 누울 준비를 하고 있었고 관광객들로 보이는 젊은 동양 여자들이 까르르하고 지나가는 소리가 열어놓은 현관문으로 찬물을 끼얹듯 쏟아져 들어왔다.

무택 씨 시간이 참 빨라. 분명 기차보다도 빠를 거야. 어릴 때 원숭이 엉덩이는 빨개 빨가면 사과 사과는 맛있어. 이 노래 기억나? 길면 기차. 기차는 빨라. 이 노래. 이게 뭐라고 빠르다는 말만 하면 기차가 생각나. 아 그러고 보니까 갑자기 기차 타고 싶다. 무택 씨 우리 여행 가자. 기차여행. 춘천이나 아니면 강릉? 어때? 재밌겠다. 가면서 계란도 사 먹고 맥주도 마시고. 가자. 지금.

너는 엉덩이를 들썩거리며 말했지만 나는 조용히 소주를 마셨다. 물론 여기서 청량리역까지 걸어서 간다고 해도 미친 소리가 아닐 정도의 가까운 거리였을 뿐만 아니라 춘천 정도는 맘만 먹으면 언제든지 갈 수 있었지만 나는 네가 정말로 가지 않을 거라는 것을 알고 있었기 때문에 아무 말도 하지 않았다.

기차를 타면 꼭 창밖 세상이 나와는 상관없는 또 다른 세계 같다는 생각이 들어. 왜 그런 기분 있잖아. 사파리 버스를 타고 동물원을 구경하는 기분이랄까. 창밖에 인간들이 측은하다는 생각도 들고. 아무튼

실패하기 위해 태어난

그런 기분이 들어. 산 정상에 서서 멀리 장난감처럼 늘어서 있는 고층 빌딩을 보는 것처럼 모든 게 덧없고 하찮게 느껴지는 그런 기분. 그러다 보면 갑자기 슬퍼져. 그동안 내가 이루려고 했던 모든 게 전부 무의미한 일 같아서. 내가 아무것도 아닌 존재가 된 것 같아서……모든 게 저렇게 휙휙 지나가버릴 것 같아서…… 무택 씨 나 이러다가 금방 할머니 되는 거 아닐까? 그거 알아? 오래된 것들에서는 시간의 냄새가 난다. 왜 그 특유의 냄새 있잖아요. 오래된 목가구에서도 그렇고 오래된 식당에 들어서면 바로 알 수 있는 그 냄새. 그게 시간의 냄새야. 사람도 그래. 노인들한테는 시간의 냄새가 나. 나도 늙으면 그런 냄새가 나겠지? 누군가 그랬어. 꽃은 시들기 전에 향이 가장 많이 난다고. 자신이 곧 시들어 사라질 거라는 걸 아니까. 그러니까. 온 힘을 다해 마지막 향을 내뿜는 거라고. 매미가 죽기 전에 있는 힘을 다해 울 듯이. 인간도 마찬가지라는 거야. 죽기 전에 그 사람이 살아온 그 시간의 향이 가장 많이 나. 그래서 죽고 나서도 그 사람이 있던 자리에 꽤 오랫동안 그 사람의 냄새가 나는 거래. 내가 죽고 나면 무슨 냄새가 날까.

너는 혀가 조금 풀려서는 말을 징검다리처럼 드문드문 건너뛰며 내뱉었다. 나는 그럴 때마다 가만히 눈을 슴벅였다. 그러고는 계속해서 몰려오는 취기를 깨어 볼 심사로 하품을 하고 기지개를 켰다. 그러나 알코올은 물 만난 붕장어마냥 계속해서 온몸을 휘젓고 다녔다.

무택 씨 나 아직도 좋아해?

나는 아직이라는 부사가 신경 쓰였지만 한 번쯤 생각해 볼 문제라고 생각했다. 그래서 취한 김에 그 질문에 대해 생각해 보기로 했다. 나는 너를 좋아했을까. 좋아한다는 것은 무엇인가. 좋아한다는 것과 사랑한다는 것은 얼마만큼 떨어져 있는 걸까. 나는 정녕 누군가를 좋아했었던 적이 있었던가. 나는 아무런 말도 하지 않았다. 그 질문에 대답은 할 수 없었지만 한 가지 확실한 것은 아름답다는 것이었다. 지금 당장의 루다가 가장 아름답다는 사실. 루다에게는 지금 거울이 필요하다. 아름다움을 비춰줄 거울. 왜인지 모르겠지만 마땅히 내가 그 거울이 되어주어야 한다고 생각했다.

　나 왜 안 잡았어?

　너는 아지랑이처럼 취해 있었다. 나도 마찬가지였다. 우리는 술에 취해 허전거리는 몸을 가누려고 노력했다. 그러나 걸음을 걸을수록 서로의 몸이 자꾸만 툭툭 부딪쳤다. 마치 술잔을 들어 건배를 하듯, 무심하게 애정 하듯. 나는 루다와 몸을 부딪칠 때마다 가슴에 파문이 일었다. 우리는 그렇게 건배를 하듯 서로 부딪치며 걷고 또 걸었다.

　그렇게 도착한 곳은 종로 3가와 종각역 중간쯤 되는 골목 구석에 있는 허름한 일본식 선술집이었다. 창가에 자리를 잡았는데 지게처럼 받침대를 받쳐 놓아야 열리는 창문이 있었다. 파도같은 나뭇결이 그대로 살아있는 원목 테이블과 창살처럼 격자로 엮어 만든 나무 의자가 마음에 들었다. 우리는 사케에 뜨거운 어묵 안주를 놓고 마셨다. 반쯤 열린 창밖으로 저녁 어스름이 아주 느린 속도로 조용히 세계를 덮고 있었다.

　　　　　　　　실패하기 위해 태어난

그게 무슨 말이야?

나 결혼한다고 했을 때. 왜 안 잡았냐고.

너는 금방이라도 울음을 터뜨릴 것 같은 표정으로 말했다. 그러나 이번에는 울지 않을 것 같다는 생각이 들었다. 한 달 사이에 사람이 많이 변했다는 느낌이 들었다.

나는 물고기 한 마리 잡아 본 적도 없어.

나 좋아한다면서. 본인이 그랬잖아. 나 좋아한다고. 안 그랬어?

그랬지.

근데. 왜 안 잡았어?

좋아하는 사람이 결혼한다고 싫어지는 건 아니니까.

그거 사랑 아니야. 무슨 사랑이 그렇게 쉬워.

너는 취했고 알코올이 주는 착각에 기대어 즉흥적으로 아무 말이나 내뱉고 있는 것 같았다. 나는 네가 무슨 말을 하던지 아무것도 달라질 것은 없을 거라 생각했다. 네 말대로 오늘 너와 잠을 잔다고 해도, 그렇지 않는다고 해도 아무것도 달라질 것은 없다고 생각했다. 아직 이른 시간이라 손님은 우리뿐이었고 나는 사장에게 양해를 구하고 담배에 불을 붙였다. 그러자 스위치를 켠 것처럼 하늘에서 비가 수직으로 쏟아져 내렸다. 장마철도 아닌데 작달비가 거리를 가득 채우며 곤두박질쳤다. 마치 누군가 갑자기 계속해서 비명을 지르는 것 같이 비가 쏟아졌다.

사람 인연이라는 것은 빗밑이 가벼운 소나기 같아서 저렇게 눈앞에 찬란하게 쏟아지다가도 금세 사라져버리는 일과 크게 다르지 않아. 어차피 그렇게 됐을 거야. 사람에 대한 희망은 애초에 품지 않는 편이 좋아. 희망이 크면 클수록 갖은 모질음을 다 써도 견뎌낼 수 없는 고통이 와. 그때는 정말 무너지는 거야. 쏟아지는 비는 그냥 이렇게 창문을 통해 지켜보면 돼. 겁 없이 빗속으로 뛰어들었다간 다 잃어. 난 그게 무엇이든 불나방처럼 모든 것을 걸고 뛰어들고 싶지 않아.

나는 그렇게 말하고 있었지만, 확실히 깨닫고 있었다. 나의 의지가 한결같이 루다에게로 날아가려 한다는 것을. 누가 조금이라도 건들면 비로소 눈물이 터져 나올 것 같았다. 루다가 매번 술을 마시고 울어버리는 이유를 알 것도 같았다. 아닌 게 아니라 정말 눈물이 가랑가랑하는지 초점이 계속 흐려졌다.

비겁해.

너는 고개를 좌우로 아주 빠르게 흔들면서 말했다. 어떻게 보면 춤을 추고 있는 것 같았다. 그러더니 갑자기 자리를 박차고 일어나 밖으로 뛰쳐나갔다. 빗속으로 뛰어든 너는 두 팔을 벌리고 영화에서나 나올 법한 상투적인 자세로 비를 맞았다. 우산을 쓰고 지나가는 행인들 역시 상투적인 표정으로 너를 흘끔거리며 지나쳤다. 그러나 얼마 지나지 않아 비가 그쳤다. 그러자 너는 시시하다는 표정으로 다시 돌아와 앉았다.

이게 사랑이야. 무모하고 맹목적인 거.

너는 젖은 머리칼을 쓸어 넘기며 말했다. 너는 웃었다. 나도 웃었다. 나는 계속해서 못마땅하다는 듯 우리를 주시하고 있는 사장이 신경 쓰여서 먹지도 않을 안주를 하나 더 시켰다. 나는 가방에서 카디건을

실패하기 위해 태어난

꺼내 너에게 건네주었다.

무택 씨. 그거 알아? 무택 씨는 이런 사람이야. 지켜만 보는 사람. 처마 밑에 앉아서 쏟아지는 빗줄기를 하염없이 지켜만 보고 있는 사람. 그래서 나는 무택 씨가 아주 비겁하다고 생각해. 그런데 우습게도 또 그런 이유 때문에 무택 씨가 좋기도 해. 이렇게 커다란 세계를 향해 비겁하게 굴 수 있다는 건 그만큼 용감하다는 뜻이기도 하니까.

너는 눈이 반쯤 감겨 있었다.

나는 누구도 사랑하지 않을 거야. 증오할거야. 그렇게 너도 증오하면서 살 거야. 내가 유일하게 증오하는 건 어쩌면 너 하나일지도 몰라.

나는 내가 무슨 말을 하고 있는지 알 수 없었다. 실제로 무슨 말을 한다기보다는 그냥 내뱉고 있다고 표현하는 것이 맞을 것 같았다. 말이 생각의 틈바구니를 거쳐 나오는 것이 아니라 트림처럼 바로 구강으로 역류하고 있었다. 술을 마시고 쏟아내는 구토처럼 내 의지와 상관없이 터져 나왔다.

인간은 전부 시시하고 비겁해. 사는 게 너무 지겨워. 그냥 모든 게 다 지긋지긋해. 나는 한 번도 단 한 번도 내 맘대로 살아본 적이 없어. 그 생각만 하면 가슴이 막 뛰고 답답해. 게다가 지금 나는 지금 완전히 길을 잃은 기분이라고 돌아갈 수 있는 길도 모두 사라져 버린 것 같은. 무택 씨 이런 기분 알아? 어디로 가고 있는데 그게 어디인지 도무지 모르겠는 그런 기분.

너는 울었다. 그것도 아주 갑작스럽게. 누가 보면 내가 너한테 몹쓸 짓을 했다고 오해할 만큼 커다랗게 울었다. 계약이 만료되어 회사를 그만두기 전날과 비슷하게 옥옥옥 하고 울었다. 창밖에 쏟아지는 빗물과 견주어도 손색이 없을 만큼 줄줄 눈물이 떨어져 내렸다. 나는 그런 너를 보며 눈물이 바다가 되는 상상을 했다. 도시 전체가 눈물바다에 잠겨 하나같이 이재민이 되는 그런 상상을 했다. 그래서 결국엔 눈물이 바다가 된 건지 바다가 눈물이 된 건지 도무지 알 수 없는 그런 상황. 나는 그런 쓸데없는 생각을 하고 있는 내가 한심해서 주먹으로 머리를 한 대 쥐어박고 싶었지만 그렇게 하지는 않았다.

나는 테이블 끝에 서랍에서 티슈를 꺼내 너에게 건네주었다. 너는 티슈로 눈두덩이 전체를 감싸 꾹꾹 눌러가며 눈물을 닦아냈다. 너는 핑, 하고 코를 풀어대지는 않았다. 나는 그래서 너의 눈물의 진정성에 대해 조금 의심을 했다. 한때는 눈물과 콧물이 뒤범벅된 울음만이 진정한 울음이라는 생각을 했었기 때문이다. 나는 그런 너를 물끄러미 바라보면서 술을 마시다가 우는 사람에 대해 생각했고 그 어떠한 일이 있더라도 나는 절대로 그런 인간은 되지 말아야지, 하고 생각했다. 나는 세상에는 상종하지 말아야 할 인간이 두 종류가 있다고 생각했는데 첫 번째가 술 마시고 우는 인간이고 두 번째는 술 마시고 싸우는 인간이라고 생각했다. 그런 이유에서 아주 잠깐 나는 너를 그만 만나는 것이 좋을지도 모르겠다고 생각 했다.

개새끼.

너는 내 생각을 듣기라도 한 것처럼 코를 훌쩍거리며 말했다. 나는 네가 들이마시고 있는 콧물에 대해 그 끈적끈적한 체액에 대해 생각

실패하기 위해 태어난

했다. 그것은 이상하게도 이 삶이 아무것도 아니라는 생각과 연결되었다. 모든 것은 무의미하다. 무상無常은 언제나 코 앞에 있다. 그렇게 루다와 나의 관계도 콧물처럼 아무것도 아니라는 생각에 다다랐다. 그래서 언제나 그랬듯이 애라 모르겠다, 하고 술을 마셨다. 술에 취하고 나면 적어도 의욕으로부터 해방된 기분이 들었기 때문이다.

나는 무너진 것들의 신발을 신고 있어.

루다가 막 잠에서 깨어난 사람처럼 초점없이 말했다. 나는 그 말이 무슨 말이냐고 물으려다가 루다의 표정을 보내 질문하지 않는 것이 좋을 것 같아 그만 두었다. 새 신발을 사야 된다는 말은 아니라는 것은 분명해보였다. 루다의 신발은 커다란 별이 붙어있는 스니커즈였는데 황금알을 낳는 거위라는 명품 브랜드였다.
무택 씨 이 말 알아?
'나는 빈약한 진실보다 화려한 허위를 사랑한다.'

하루키가 쓴 첫 번째 소설에 있는 문장인데 왜 그런지 모르겠지만 이 문장 때문에 하루키의 그 소설을 다섯 번쯤은 읽었던 것 같아. 내 인생에도 이런 문장 같은 멋진 순간이 있었으면 좋겠어.
나는 하루키라는 이름을 듣자마자 습관적으로 미간을 조금 찌푸렸다. 그 인간의 소설은 섹스 아니면 술, 그것도 아니면 자살 이 세 가지 이야기밖에 없다고 생각했기 때문이다. 그러나 인간세계에서 이야기가 그것 말고 또 뭐가 있을까, 라고 생각하기도 했다. 그럼에도 불구하고 노르웨이의 숲에 등장하는 미도리가 굉장히 매력적이라는 사실은 인정하지 않을 수 없다. 한때는 와타나베와 나오코, 그리고 미도리에 빠져 하루키 월드라고 부르는 그 세계에 살았던 적도 있었으니까. 누구나 생애 한번쯤은 허세와 자만으로 스스로를 연출하는 청춘의 시기를 지나오는 법이니까.

실패하기 위해 태어난

돌아갈 수 없는 세계

방안은 고요했다. 소리가 소리를 전부 잃어버린 세계 같았다. 오직 루다의 숨과 내 숨만이 너울대는 우리 둘만의 세계였다. 우리는 서로의 생 가장 깊숙한 곳에 함께 서 있었다. 구름이 태양을 지나갈 때마다 방이 순간 어두워졌다가 환해지기를 반복했다. 나는 커튼을 칠까 하다가 그냥 두었다. 곧 석양이 바람과 구름과 그늘이 머물던 골목을 지나 이곳으로 올 것이다. 나는 창문 밖의 빛이 빛을 모두 잃을 때까지 내 방에 머물다 가도록 그대로 두었다. 그러다 맞은편 책상에 앉아 루다가 잠들어 있는 것을 보면서 소설을 읽었다. 책장을 넘기는 소리가 자꾸만 내 가슴을 할퀴는 것 같았다.

'인간이란 원래 어리석으니까, 이례적일 정도로 어리석지 않은가.'

나는 밑줄이 그어진 문장을 다시 읽었다. 도스토옙스키 〈지하로부터의 수기〉였다. 나는 이 책을 오래 두고 읽기로 작정하고 부러 조금씩 읽었다. 평생 다 읽지 못해도 좋다고 생각했다. 소설도 인생도 꼭 마지막 페이지까지 넘겨야 끝나는 것은 아니니까. 한참을 읽다가 같은 문장을 계속해서 읽고 있다는 것을 깨닫고는 책을 덮었다. 어쩌면 인생도 이렇게 같은 문장을 계속 반복해서 읽는 일은 아닐까, 하고 생각했다. 어느덧 저녁노을이 침대를 가로질러 방을 정확히 반으로 갈라놓고 있었다. 빛과 어둠. 절망과 희망. 삶과 죽음처럼 아주 선명하지만 유약한 경계선이 그어졌다. 루다는 노을이 만든 그늘 속에 잠들어 있었다. 나는 의자를 조금 당겨 빛과 그늘의 경계에 앉았다. 그래서 그런지 루다의 얼굴이 잘 보이지 않았다.

어둠이 방에 남아있는 모든 빛을 삼키고 얼마 지나지 않아 낙엽이 부서지듯 부스스, 소리를 내며 루다가 깨어났다. 마치 긴 여행을 마치고 돌아온 사람처럼 무척 노곤한 표정이었다.

일어났어? 뭐 마실 것 좀 줄까?

내가 말했다.

응……

루다가 땀을 흘렸는지 이마를 쓸며 말했다.

나는 냉장고에서 생수 한 병과 맥주 한 캔을 꺼냈다. 루다는 물을 한 모금 마시고 물속으로 들어가는 사람처럼 다시 이불 속으로 몸을 담갔다. 여기 이러고 있으니까 마치 무택 씨 품에 안겨 있는 것 같네. 무택 씨 냄새가 나. 가을 냄새. 뭐랄까. 단풍으로 붉게 타오르고 있는 가을 산에서 불어오는 바람 같은. 저절로 불타오르고 난 후의 공허. 아이

돌아갈 수 없는 세계

들이 모두 돌아간 건조한 공터 같은 그런 냄새가 나.

좀 더 자.

나는 최대한 속삭이듯 말했다. 세상의 모든 소리가 지금의 루다에
게는 상처가 될 것 같았기 때문이다.

아니야. 일어나야지. 마치 바다 속에 있는 것 같아. 한 번도 본 적도
가본 적도 없는 깊고 따뜻한 바다. 그 안에서 멀리 가을이 오는 것을
지켜보고 있는 것 같아. 무척 편안하고 슬픈 기분이야.

무택 씨 이리로 와봐. 정말 바닷소리가 들려.

루다가 침대에 한쪽 귀를 대고 누워 오랫동안 숨겨져 있던 동굴을
발견한 탐험가 같은 눈빛으로 말했다.

괜찮아. 나는 매일 그곳에 파묻혀 잠드는 데 뭘.

아니, 정말이라니까. 빨리 와봐. 정말 바닷소리가 들린다니까.

그래…. 누구나 마음속에 바다 하나쯤은 품고 사니까.

장난 아니야. 빨리 와봐.

루다가 애원하듯 말했다. 나는 맥주 캔을 내려놓고, 루다에게로 갔다.
그리고 루다와 같은 자세로 엎드려 한쪽 귀를 침대에 붙이고 누웠다.

눈감아봐.

나는 눈을 감았다. 조금만 움직이면 루다의 코가 내 입술에 닿을 것
같았다.

너의 숨소리가 들려.

내가 말했다.

웃기지 말고, 조용히 좀 해봐.

루다가 클클클 웃으며 말했다.

정말 물소리가 들렸다. 아니, 깊은 바다에서 노래를 부르는 바람소리가 들렸다.

루다의 말은 사실이었다. 머릿속으로는 침대 매트리스 안에 스프링이 흔들리면서 나는 소리라고 말하고 있었지만 가슴은 정말 그 순간 바닷속에 들어와 있는 것 같이 너울거렸다.

루다가 고개를 들어, 내 이마에 입술을 댔다. 루다의 마른 입술에서 풀잎 냄새가 났다. 나는 최대한 팔을 동그랗고 커다랗게 뻗어서 루다를 안았다. 루다가 옥옥, 하고 울었다. 텅 빈 가을 골목에서 부대끼는 낙엽처럼 부서질 듯 울었다. 아팠다. 나는 루다의 통증을 그대로 느꼈다. 그 순간 문득 내가 어른이 되었다고 느꼈다. 내가 아닌 타인의 통증을 느낄 수 있다는 건 왠지 모르지만, 굉장히 중요하고 어려운 일 같았기 때문이다. 나는 흐느끼는 루다를 안고 깊은 숨을 쉬었다. 우리는 그렇게 굳어버린 화석처럼 오래도록 안고 있다가 누가 먼저랄 것도 없이 잠에 빠졌다. 마치 서로를 부둥켜안고 바닷속으로 뛰어든 것처럼 동시에 꿈속으로 빠져들었다.

내가 먼저 깨어나 루다가 돌아오기를 기다렸다. 루다는 바닷속을 유영하고 있는 포유류처럼 잠들어 있었다. 나는 루다의 커다란 눈이, 루다의 모든 세계가 선처럼 가만히 닫혀있는 것을 보고 있었다. 이렇게 찰나의 순간에, 짧은 선 하나로 한 사람의 세계가 닫히고 열리는 것이 새삼 놀랍다고 생각했다. 나는 루다가 자신의 세계 안에서 흔들리고 있다는 것을 얇은 눈꺼풀을 통해 느낄 수 있었다. 루다는 무릎을 가슴까지 끌어올리고 몸을 동그랗게 말고 있었다. 마치 엄마 뱃속에 있는 태아처럼. 나는 아주 천천히 루다의 이마에 내 이마를 마주 댔다. 데칼코마니처럼. 같은 모양으로. 우리는 마주보고 있었다. 나는 일부러 루다의 날숨에 맞춰 숨을 들이쉬었다. 루다가 내뱉는 숨을 마시고 루다가 숨을 마실 때 숨을 내 뱉었다. 그렇게 나는 루다의 숨을 마시고, 루다는 내 숨을 마셨다. 그렇게 하면 왠지 내가 루다가 되고, 루다가 내가 될 것 만 같았기 때문이다. 나는 그때 처음으로 누군가가 되고 싶다는 생각을 했고, 또 누군가가 내가 되어주었으면 하는 생각을 했다. 그렇게 숨을 나누고 나서, 내가 그이고, 그가 나라는 생각을 하자 조금 덜 외롭다는 생각이 들었다. 루다도 그랬으면 했다.

나는 갑자기 지나간 현재들이 그리워지기 시작했다. 루다가 술에 취해 나를 애정으로 바라봐줬던 시간들이 떠올랐다. 덜컥 겁이 났다. 모든 게 너무도 연약하다는 생각이 들었다. 어떤 부재는 생각보다 깊이 상처를 낸다. 그게 무엇이든 언제까지고 함께 할 수는 없다. 부재와 이별로부터 내가 할 수 있는 것도 생각보다 많지 않다는 것을 안다. 어떤 외로움은 긴 상처를 남긴다는 것도. 나는 잠들어 있는 루다를 보며 생각했다. 나는 루다의 부재를 결코 이겨내지 못할 것 같았다. 나는 그때 어렴풋이 사랑이라는 것이 실재할지도 모른다고 느꼈다. 그만큼 그것이 두려워지기도 했다. 나는 분명히 느낄 수 있었다. 나의 마음의 고통을.

이거 피워도 돼?

루다가 창틀에 놓여있는 담배를 집어 들고 물었다.

물론. 뱀 먹이로 줘도 돼.

뱀은 왜 담배를 싫어할까?

그보다 자본주의를 싫어하는 걸 거야.

징그러워.

루다가 창문을 열며 말했다. 그렇게 창틀에 팔을 괴고 오래도록 담배를 피웠다. 바람이 집 앞에 서 있는 은행나무 잎을 끌어안고 지나가는 소리가 들렸다.

나는 가끔 기차가 지나가고 난 뒤의 텅 빈 철로를 생각해.

루다가 말했다.

응?

기차가 지나가고 난 뒤 서서히 식어 가는 철로 말이야. 무엇보다 뜨거웠다가 금세 얼음처럼 차가워지는…. 큰소리로 울다가 금세 침묵해 버리는. 철로 말이야.

사랑처럼?

응?

왜 그렇잖아. 타버릴 것처럼 뜨거웠다가 결국 차갑게 식어버리기 마련이니까.

꼭 그렇지는 않아. 멀어질수록 점점 더 뜨거워지는 사랑도 있으니까.

정말 그럴까?

응. 나는 믿어. 잿더미 안에 피어나는 숯처럼. 그렇게 깊숙하고 뜨거운. 그런 사랑.

나는 차라리 개코를 믿겠어.

개코?

응. 개코딱지.

루다가 피시시 웃었다.

우리도 결국 누군가는 남겨지고 누군가는 떠나겠지. 그리고 미지근해지다가 결국 차갑게 식고, 잊히겠지.

내가 냉장고에서 맥주를 한 캔 더 꺼내며 말했다.

다자이 오사무네?

루다가 침대 옆에 원통모양의 철제 협탁에 놓인 〈인간실격〉을 집어들고 말했다.

응.

요조 좋아해?

글쎄, 그냥 내 일기장 같아서 심심할 때마다 읽어.

맞아. 사실 나도 요조보면서 무택 씨 같다고 생각했어.

웃기지 않아? 지주 말이야. 인간이 지구를 소유 한 다는 게. 태초에 인간 따위는 지구에 있지도 않았을 텐데 말이야. 배은망덕도 이런 배은망덕이 없지.

우리도 같이 죽을까? 다자이처럼. 함께 강물에 뛰어드는 거야. 어때?

나 같으면 강물 따위에는 뛰어들지 않겠어. 그렇게 요란하게 죽는 건 딱 질색이거든.

아니면 바다는 어때?

차라리 냉동 참치와 함께 얼어 죽는 쪽을 선택하겠어.

외롭지는 않겠다. 같이 죽을 사람이 있다는 것 말이야.

응. 외롭지는 않을 것 같아.

무택 씨, 근처에 가장 가까운 교회가 어디야?

바로 옆에 산처럼 커다란 교회 있어.

나가자. 나 교회가고 싶어.

루다가 윽, 소리를 내며 침대에서 나왔다.

돌아갈 수 없다.

우리가 마주한 사실은 오직 그 하나밖에 없는 것 같았다. 나는 그것을 온몸으로 느낄 수 있었다. 루다가 떠나고 나는 계속해서 알 수 없는 깊은 곳으로 가라앉고 있는 것 같았다.

$$\infty$$

브루스를 보면 조르바가 떠오르는 경우가 많았다. 브루스의 모든 말과 행동에는 어떤 당위나 명분 따위가 없었다. 그는 오로지 지금에만 집중했다. 브루스는 초시간적 인간으로 순간을 살았다. 마음이 내키는 대로 먹고 마시고 내뱉는 짐승과 같았다. 타자와의 교통에 무심하고, 하고 싶으면 하고, 하기 싫으면 하지 않는 삶을 살았다. 나는 그런 점에서 브루스를 진짜라고 부른다. 그는 오롯이 자신만의 세계에서 살았다. 그의 아내는 그런 브루스를 향해 언제나 제멋대로만 살 거면 결혼은 왜 했고, 애는 왜 낳았냐고 소리쳤지만 브루스는 그때는 그러고 싶었으니까! 라고 되받아쳤다. 그럼 내가 내 맘대로 살지. 네 맘대로 사냐? 라는 지극히 논리적인 주장을 덧붙이면서 말이다. 브루스의 아내는 결혼한 이후 바로 그와 공존하는 것을 포기했다고 말했다.

브루스는 그럴 수 있을 때 실컷 허리띠를 풀어야 한다고. 지금, 당장 하지 않으면 결코 아무것도 못 할 것이라고 말했다. 생각하고 행동하면 아무것도 할 수 없다고, 언제나 몸이 먼저라고 그냥 무작정 움직이면 생각은 알아서 따라오는 거라고. 그러니 어디든 당장 나가라고. 나가서 지금 네가 하고 싶은 것과 할 수 있는 것을 찾아서 무엇이든 해야 한다고 말했다.

나는 그가 평생 연기를 한 것은 아닐까, 라고 생각하기도 했다. 우리들 중에는 자기도 모르는 사이에 배우가 된 사람도 있기 때문이다. 어떻게 한결같이 그렇게 자신에게 집중하며 살 수 있을까, 하고 의심한 적이 많았다. 그는 매일 맥주를 퍼마셨지만, 그때마다 처음 마셔본 사람처럼 감탄을 쏟아냈다. 나는 그런 브루스를 보면서 나중에 기회가 되면 실존주의에 대해 공부를 좀 해봐야겠다고 생각하기도 했다. 그러나 나는 아무것도 공부하지 않았다. 시간이 지날수록 그저 조금씩 브루스가 진짜였다는 것을 느낄 뿐이었다.

∞

류는 내 가슴에 귀를 대고 심장소리를 듣는 일을 즐겨했다.
이 고약한 녀석이 언제 멈출지 모른단 말이지?

심장뿐만 아니라 내 모든 것이 언제고 멈추겠지.

내가 대답했다.

나랑 헤어지지 않을 자신 있어?

류가 녹슨 것처럼 쇳소리를 냈다. 어딘가 상처가 깊이 난 사람에게서 나는 소리 같았다.

원한다면.

약속 할 수 있어?

글쎄, 그건 좀 곤란해.

왜.

알다시피 확신 같은 건 하지 않는 게 좋아.

나는 침대에 걸터 앉아 담배를 꺼내 물었다. 창문을 열자 수도꼭지를 틀어놓은 것처럼 햇볕이 쏟아져 들어왔다. 류가 눈이 부셨는지 미간을 찌푸리고는 지독하게 새하얀 면포에 감싸여 있는 침구를 얼굴까지 끌어 덮었다. 마치 스스로 죽어버린 사람처럼.

죽은 사람은 무엇이라고 불러야 할까?

나는 갑자기 그런 생각이 들었다.

응? 그게 무슨 말이야?

류가 이불에서 게슴츠레 얼굴을 빼내며 말했다.

죽은 사람 말이야. 죽은 사람은 뭐라고 불러야 될까?

죽었는데 부를 일이 있을까?

죽어서 육체만 덩그러니 남아 있는 사람 말이야. 그 사람들은 뭐라고 불러야 하지.

돌아갈 수 없는 세계

글쎄…. 망자? 사망자? 사자? 고인? 많잖아.

그러게 죽은 사람은 다 같네.

영혼이 있다고 믿어?

류가 물었다.

아니, 차라리 원숭이가 인수분해를 할 수 있다는 것을 믿지.

우리 엄마는 삼년 전에 죽었어. 고작 마흔 일곱 살이었어. 엄마는 오랫동안 무기력하고 겨울나무처럼 앙상했어. 이 세상에 술이라고 부르는 끝내주는 액체가 미친 듯이 널렸다는 사실조차 알지 못한 사람인데 간암이었어. 재밌지? 의사가 그러더군. 그건 알 수 없는 거라고. 60년을 매일같이 고주망태로 살아도 갓 태어난 송아지 간처럼 깨끗한 인간도 있다고. 그럼 뭘 알 수 있냐고 물었더니 그건 자기도 모른다더군. 그 인간이 확실하게 얘기한 건 오래 버티기는 힘들 것 같다는 말 뿐이었지. 병신새끼.

류가 상체를 일으켜 원목 침대등받이에 기대어 앉았다.

육체가 사라져도 그 사람은 소멸 한 게 아니라 존재한다고 믿어. 나는.

류가 얇고 하얀 홑이불을 목까지 끌어올리며 말했다. 그때마다 검붉은 젖꼭지가 희미하게 비쳤다.

내가 기억하면 그 사람은 있는 거야. 기억하는 사람이 단 한사람이라도 남아 있으면 그 사람은 살아있는 거니까.

나는 스무 살 때부터 혼자 살았어. 그때 엄마를 몇 년 동안이나 못보고 살았어. 지금처럼…. 몇 년을 못 보고 사는 거나. 평생을 못 보고 사는 거나. 다를 게 없잖아. 그때나 지금이나 다르지 않아. 우리는 만나지 못하지만 사랑한다는 걸 느꼈어. 지금도 그대로야. 내가 이렇게 기억하고 있으니 엄마는 존재하는 거지.

류가 향을 태우듯 담배를 가만히 태우면서 말했다. 우리는 꽤 오랫동안 선명했던 연기가 점점 공기 중으로 희미하게 사라지는 것을 함께 지켜봤다.

이 연기처럼 사라지겠지. 우리도. 지금 이 시간도.

응. 언젠가는. 그건 크로캅도 막지 못해.

크로캅이 뭐야?

있어. 이종격투기 선수.

그건 그렇고. 창문 좀 닫아줄래?

추워?

응. 이것 봐 내 몸이 참치 통조림처럼 차가워졌어. 류가 내 손을 잡아 자신의 얼굴에 대고 말했다. 정말로 얼굴이 얼음이 가득담긴 유리컵처럼 서늘했다.

나는 손을 힘껏 뻗어 창문을 닫았다.

근데 어젯밤에 왜 그렇게 똑같은 말을 계속 했어?

뭐라고 했는데? 전혀 기억이 안나.

히틀러에 대해 얘기했어.

히틀러?

응. 아돌프 히틀러.

뭐라고 했는데?

　돌아갈 수 없는 세계

개새끼, 라고 말했어.

개새끼니까.

알았을까?

뭘?

자신이 70년 후에 젊은 동양 여자에게 개새끼라는 욕을 반복해서 듣게 될 줄.

몰랐겠지. 그걸 알았으면 그런 짓을 했겠어?

콧수염이 없었으면 어땠을까?

응?

히틀러 말이야.

그게 무슨 상관?

콧수염을 기르지 않았으면 그런 삶을 살지 않았을지도 몰라. 콧수염을 기른다는 건 생각보다 큰 용기가 필요하거든.

그래, 히틀러 엄마가 히틀러가 뱃속에 있을 때 어제의 우리처럼 하루만 미친 듯이 맥주를 마셔댔다면, 아니면 히틀러를 데리고 도나우 강에서 낚시만 하지 않았다면 그런 일은 일어나지 않았을지도 몰라.

응, 그러니까. 너무 심각하게 생각하지 마. 그냥 운이 없었을 뿐이야. 술을 한 모금도 마시지 못하는 사람이 간암에 걸린 것처럼. 갑자기 인도로 뛰어드는 차량에 치인 아이처럼. 천만분의 일의 확률로 추락하는 비행기에 타고 있는 승객들처럼. 그런 것은 아무도 알 수 없다고. 인간 따위가 도무지 어찌할 수가 없는 일이라고. 그냥 감수하고 사는 거지. 번개를 맞을까봐 비오는 날 외출을 하지 않는 멍청이로 살 수는 없잖아. 그레고르 잠자가 어느날 갑자기 벌레로 변신한 것처럼 히틀러도 어느날 갑자기 틱, 하고 인간으로 태어난거지. 우연. 그게 전부잖아. 인간세계에 합리라는 건 없으니까.

내가 말했다.

그래도, 개새끼는 개새끼야.

응. 언제 어디서 그런 개새끼를 다시 만나게 될지 몰라. 인간들이 너무 많기 때문이야.

그나저나 우리, 어제 술을 제법 많이 마셨지?

응. 어제 마신 맥주캔만 모아도 로봇 한 대는 거뜬히 만들 수 있을 정도니까. 하마터면 정말로 죽을 수도 있었을 만큼의 양이었어. 생각만 해도 끔찍해. 적어도 그런 식으로는 죽고 싶지 않거든.

어떻게 죽고 싶은데?

음…… 아무도 없는 곳에서 아무 소리도 들리지 않는 곳에서 서서히 녹듯이 죽고 싶어. 오랫동안 세계를 부유하면서 천천히.

남녀가 함께 자살하기 전에 그게 하고 싶을까? 왜 소설이나 영화를 보면 그러잖아.

류가 말했다.

소설이나 영화니까…

우리 애플 마티니 마실래?

언제?

언제고 형편이 좋을 때.

좋아, 하지만 오늘은 안 돼. 오늘은 신발을 세탁할 생각이거든.

　　　　　　　돌아갈 수 없는 세계

신발?

웅. 어제 누군가 내 운동화에 토를 했거든.

그게 나야?

아마도.

미안하게 됐어.

괜찮아. 신발도 고독과 슬픔쯤은 이해하는 물질이니까.

나중에 나는 내 이름으로 술을 만들 거야. 아주 독하고 진한 향이 나는 위스키를 만들 거야.

죽음처럼?

웅. 석양처럼 뜨겁고, 바다처럼 깊고, 죽음처럼 황홀한 그런 술.

멋진 꿈이네.

그때까지 우리가 서로를 기억할까?

언젠가 초원으로 뒤덮인 가을의 언덕에 앉아 세계가 지나가는 것을 지켜볼 기회가 생긴다면 반드시 너를 떠올릴게. 약속해. 분명 그때 나는 석양처럼 지독하게 붉고 진한 술을 마시고 있을 테니까.

우리가 서로에게 무엇이 될 수 있을까.

뭐가 되고 싶은데?

나는 잠잠해지고 싶어.

그게 무슨 말이야?

아무짝에도 쓸모없는 일을 하느라 무릎이 늘어난 바지처럼 후줄근해지기는 싫거든.

인간이라는 소도구가 결국 권태를 이겨낼 수 있을까?

전혀. 인간은 이 엉덩이 같은 동물적 권태에서 절대 벗어날 수 없거든.

다시 하고 싶어?

아마도.

나도, 좋아. 오후까지 시간은 많으니까.

우리는 다시 한 번 서로의 세계로 향하는 통로를 찾았다. 육욕. 통제할 수 없는 자유. 그 자유의 포도주.

나는 이후에 류와 만났던 일을 소재로 모든 것은 덧없다! 라는 제목의 짧은 소설을 쓴 적이 있었다. 차라리 바나나를 먹지 못하는 원숭이 이야기를 쓰는 편이 훨씬 좋았을 것이라는 생각이 드는 소설이었다. 나는 그 소설을 쓰고 바로 쓰레기통에 버려버렸지만 지금 생각해보면 그 소설이 어쩌면 내가 쓴 소설 중에 가장 쓸만한 작품이었을지도 모른다는 생각이 들었다. 인생이라는 것이 늘 그렇듯이.

돌아갈 수 없는 세계

모든 것은 사라진다

루다를 다시 만난 것은 한참 물을 끓이던 냄비의 전원을 꺼버린 것처럼 뜨겁게 끓던 세계가 갑자기 식어가기 시작한 가을의 입구였다. 나는 무릎까지 오는 감색 트렌치코트를 꺼내 입었다. 소나기와 섞인 루다의 체취가 해마의 한편으로 물러났을 무렵 루다는 다짜고짜 보고 싶다고 연락을 했다. 언제나처럼 일방적이었다. 나는 그런 루다가 좋았다. 적어도 나에게 한 사람쯤은 그런 사람이 있었으면 했다. 나에게 제멋대로 구는 늑대 같은 사람이 있는 한 내가 살아가야 할 이유는 충분하다고 생각했기 때문이다.

잘 지냈어?
종각역 스타벅스 2층 구석자리에서 창밖을 내다보고 있던 루다가 어둡고 긴 동굴에서 막 빠져나온 사람처럼 눈을 찡그리며 말했다.
나는 너의 맞은편 자리에 앉았다. 다리가 짧고 팔걸이가 넓은 원목

의자 덕분에 몸이 저절로 눕듯이 기울어졌다. 마치 땅속에서 엉덩이를 끌어당기고 있는 것처럼 자꾸만 빨려 들어가는 기분이 드는 의자였다.

무택 씨 좋은 소식인데 안 좋은 소식이 있고, 안 좋은 소식인데 좋은 소식이 있어.

그게 무슨 말이야.

말 그대로야. 어떤 것부터 들을래?

안 좋은 소식인데 좋은 소식부터.

그나저나 잘 지냈어?

잘, 까지는 모르겠고. 그냥 지냈어. 족저근막염에 걸린 도요새처럼.

그게 뭐야?

그냥 발바닥이 몹시 아픈 거야.

아파?

응. 하지만 이제는 괜찮아.

다행이다. 아프지 마.

응. 아프지 말자.

무택 씨.

응?

음…나 그 사람이랑 헤어지려고. 어때 안 좋은 일인데 좋은 일이지?

나는 최대한 심상한 표정을 지으려고 애쓰며 루다에게 아주 작은 상처라도 생기지 않을 답변이 무엇일지 생각했다.

그렇구나.

나는 평소와 다름없이 예사롭게 말했다. 실제로 이별도 이혼도 그냥

157   모든 것은 사라진다

인간이 인간을 만나고 헤어지는 것에 거창하게 이름을 붙여준 것뿐이라고 생각하고 있었기 때문에 특히 놀라거나 위로할만한 일은 아니라고 생각했다. 루다의 말처럼 좋지도 나쁘지도 않은 일 중에 하나라고 생각했다. 어차피 산다는 것 자체가 특별히 기뻐할 일도 아니고, 그렇다고 그 반대도 아니라서 그냥 그렇게 되면 그렇게 됐구나, 하고 넘어가면 그만이라고 생각했다. 그런 의미에서 조금 단호한 말투로 말했다.

개의치 마라. 용기를 가져라.

그게 뭐야. 무슨 말투가 그래.

있어. 가끔 나는 그가 돼.

그가 누구야?

차라투스트라.

하여튼 특이해. 왜 헤어지려고 하는지 안 궁금해?

응.

나는 정말로 궁금하지 않았다. 사람이 사람을 만나는 것과 헤어지는 것에 특별히 이유가 있을 거라 생각하지 않았기 때문이기도 했지만, 그보다 타인의 지극히 사적인 생활에 관심을 두는 것도 그렇고 알고 있는 것 자체가 일종의 폭력처럼 느껴졌기 때문이다.

루다가 순간 울컥하는 것이 느껴졌다. 나는 두꺼운 머그잔을 들고 가는 야구모자를 눌러쓴 남자에게 시선을 두고 루다가 스스로 선택하도록 두었다.

그렇게 끔찍한 인간인 줄 전혀 몰랐어. 아마 그 사람도 똑같이 느꼈을 거야. 그러니까 그런 짓을 하지.

루다는 한참을 다른 곳을 응시하다가 양손을 가슴 앞쪽으로 쭉 뻗으며 기재를 켰다. 전에 없이 상기된 표정이었다.

나는 루다 씨가 무엇을 선택하든 그것이 정답이라고 생각해. 어차피 루다 씨 인생의 모든 문제의 출제자는 바로 자신이니까.

고마워… 조금 힘이 난다.

좋은 소식인데 안 좋은 소식은 뭐야?

나는 무슨 말을 해도 전혀 놀라지 않을게, 라고 말하는 것처럼 눈을 조금 크게 뜨고 입술을 모았다.

나 임신했어.

루다는 그 말을 하고 나서 상황에 맞게 연기를 하지 못하는 초짜 배우처럼 웃었다.

나는 아…어…라고 말인지 신음인지 알 수 없는 소리를 냈다. 아마 누군가 21세기 인간의 가장 멍청한 표정을 화석으로 만들어 보존해야 한다면 아마 그때의 내 표정이 적합했을 것이다. 나는 그렇게 한동안 화석처럼 앉아 있다가 주문한 커피를 가져가라며 진동벨이 호들갑을 떨어대는 틈을 타 얼른 자리에서 일어났다.

커피 가져올게.

루다는 눈을 동그랗게 뜨고는 야생동물을 관찰하듯 이동하는 나를 천천히 관찰하고 있었다.

진한 커피의 향이 뭉근하게 사위를 에워싸는 동안 나는 무슨 말이든 내뱉어야겠다고 생각했지만, 도무지 입이 떨어지지 않았다. 머릿속에서는 갖은 생각들이 뒤엉켜 요란하게 드잡이질을 하고 있었다.

　　　　　모든 것은 사라진다

루다는 부족함 없이 성장했다. 규율과 인습이 엄격한 사립 예술 중·고등학교에서도 단 한 번도 부모님 기대에 엇나가 본 적이 없었다. 모두의 바람대로 H 대학 미술학부에 입학했고 지독한 독감으로 3일 요양을 한 날을 제외하고는 결석 한 번 하지 않고 대학 생활을 마쳤다. 루다는 졸업 무렵에서야 화판 앞에서 시간을 보낸 10여년 동안 한 번도 자신의 의지에 의해 붓을 들어본 적이 없다는 것을 깨달았다. 그런 의미에서 학부 졸업 전시가 끝나고 아무도 그녀에게 과제를 내주지 않자 그녀는 더는 붓을 들 수 없었다. 자신이 그동안 살아온 인생 전체가 그저 학습된 제도의 틀 안에서 한 발자국도 벗어나지 않았다는 것을 깨달았다. 그녀는 졸업하고 나서야 자신이 예술가적 기질이 없다는 것을 알게 되었다. 그러나 그렇다고 그동안 쌓아온 모든 것을 한꺼번에 버릴 수는 없었다. 그녀의 부모는 그 사실을 인정하려 들지 않았다. 그렇게 타협점을 찾은 것이 예술경영대학원이었다. 지나고나서 생각해보면 학교야 말로 인간을 가축으로 만드는 최고의 시설이라는 생각을 했다.

재밌지?

루다는 그 말을 하고는 한참동안 머그잔에 담긴 루이보스차를 마셨다.

나 역시 그런 루다를 보다가 창밖으로 시선을 내던졌다. 거리는 무채색의 승용차들로 가득 했다. 뱀처럼 유연하게 차선을 바꾸는 자동차들 사이로 경적소리가 날카롭게 부딪쳤다. 홍수처럼 사람들이 한꺼번에 횡단보도로 쏟아져 나왔다가 다시 고이기를 반복하는 만큼 우리의 공기도 어딘가에 계속해서 고이는 것처럼 점점 무거워졌다.

걱정 마. 무택 씨 아냐.

루다가 희미하게 웃으며 말했다.

나는 루다의 말을 듣고 태어나서 처음으로 나 자신이 미워졌다. 알 수 없는 부끄러움과 자괴감에 고개를 들기 힘들 지경이었다. 루다의 말을 듣고 안도하는 나를 느꼈기 때문이다. 나는 그 순간 그 누군가에 게도 사랑을 받아서는 안 되는 인간이라고 생각했다.

다들 어디로 가는 걸까?

루다가 창밖을 내다보며 무상히 말을 했다.

어디로 가든, 어떻게 가든 결국 모두 같은 곳으로 가고 있는 거겠지.

응?

모두 끝으로 가고 있는 거니까. 일과의 끝. 하루의 끝. 인생의 끝.

정말….

그러니까, 루다씨. 우리 너무 슬퍼하거나 기뻐하거나 그러지 말자.

나 어떻게 해?

루다가 갑자기 땅거미가 진 것처럼 조금 어두워졌다.

마음대로 했으면 좋겠어. 정말. 지금 루다 씨가 내키는 대로. 이미 알고 있잖아. 어떻게 해야 할지. 그냥 그렇게 해. 누구한테 확인하고 허락받을 필요 없어. 아무것도. 루다 씨 인생은 전부다 루다 씨 거야. 그러니까 마음대로 해. 괜찮아.

그럴까…그러면 지금보다 행복해질까. 모든 걸 내 마음대로 하면.

행복하지 않다고 불행한 것은 아니잖아. 특별히 좋지도 나쁘지도 않

모든 것은 사라진다

은 보통. 그렇게 살아도 되지 않을까. 인간도 인생도 아무것도 아니라고. 그냥 그렇게 생각하자. 전부 아무것도 아니니까. 전부 아무 일도 아닌 거야.

나는 무슨 말이든 내뱉어야겠다고 생각했다.

내 말이 끝나기 무섭게 루다는 울기 시작했다. 술에 취하지도 않았는데, 누군가 죽어버린 것도 아닌데 루다는 그런 사람처럼 울었다. 고드름이 녹듯 똑똑 눈물을 떨어뜨리면서 터져 나오려는 감정을 참기위해 턱을 덜덜덜 떨어대면서까지 흐느꼈다. 나는 그냥 루다가 실컷 그렇게 하도록 내버려 두었다. 그녀가 스스로 벗어나길 바랐고, 루다의 슬픔에 내가 할 일이 없다고 생각했기 때문이었다. 그러나 나는 그때 깨달았다. 루다의 슬픔이 단지 루다의 슬픔만은 아니라는 것을.

창밖으로 커다란 구름 그림자가 몇 번씩이나 우리 두 사람의 얼굴을 어둡게 만드는 동안 루다는 계속 울었다. 그러다가 어느 순간 산의 등줄기 너머로 사라지는 석양처럼 울음을 그치고 말했다.

무택 씨 행복해지는 게 뭘까?

글쎄…정말로 행복이 뭘까?

나는 휴대폰을 꺼내 행복이라고 검색해 읽어주었다.

생활에서 충분한 만족과 기쁨을 느끼어 흐뭇함. 또는 그러한 상태

행복이 그런 뜻이었구나…누군가 행복을 사전으로 정리해놓았구나. 충분한 만족과 기쁨을 느끼려면 어떻게 해야 할까? 돈이 엄청나게 많으면 그렇게 될까?

글쎄, 그것도 금방 지겨워지지 않을까? 아무리 맛있는 음식도 계속

먹으면 질려버리듯이. 인간은 그게 뭐든 적응해버리니까, 점점 더 많은 걸 바라게 되고. 왜 엄청난 재산을 갖고 있는 재벌들이 계속 더 많은 돈을 벌기위해 악착같이 사는 걸 봐도 그렇고. 당장이라도 없으면 죽을 것처럼 떠들던 사랑도 결국 어떤 형태로든 질려버리기 마련이니까. 그러고보면 애초부터 행복은 존재하지 않는 걸지도 몰라.

맞아. 정말 행복은 애초에 존재하지 않을 지도 몰라.

루다가 무언가를 발견한 표정으로 눈을 크게 뜨고 말했다. 나는 루다의 말에 동의한다는 의미로 고개를 주억거렸다.

전부 착각이었던 거야. 바보처럼 결혼을 하고 나면 무언가 정리될 것 같았어. 결론이라고 생각했어. 동화나 드라마처럼 그리하여 그들은 결혼해 행복하게 잘 살았답니다, 하고 끝이 날 줄 알았어. 처음에는 정말 그렇다고 믿기도 했어. 결국 나는 끊임없이 나의 결핍을 갈구하고 또 다른 결핍을 채우려고 발버둥친 거야. 그곳엔 행복이 있을지 모른다는 멍청한 희망에 사로잡혀서……

루다는 꿈을 꾸고 있는 사람처럼, 그 꿈에서 깨어나기 싫은 사람처럼 느리고 조용하게 말을 이어나갔다.

무택 씨 부탁하나 들어줘. 사실 그것 때문에 오늘 만나자고 한 거야.

무슨 부탁?

같이 바다에 가줘.

루다가 변덕스러운 날씨처럼 언제 그랬냐는 듯 활짝 개인 얼굴을 하고는 말했다.

바다?

모든 것은 사라진다

응. 바다.

지금?

응. 지금.

끝없는 수평선의 너른 세월의 주름, 세계를 밀고 당기는 파도 소리가 주는 알 수 없는 적요를 생각하니 마음이 조금 흔들렸다.

가자. 지금 당장. 가서 바다에게 인사를 하는 거야. 잘 있었느냐고. 잘 있으라고. 어디를 가는 거냐고. 어디서 오는 거냐고.

루다가 연습실에 있는 배우처럼 혼자 허공에 손을 흔들며 말했다. 마치 잠결에 깨어나 잠꼬대를 늘어놓는 아이처럼. 꿈과 현실의 경계에서 끝없이 허우적거리는 청춘처럼. 나는 그런 루다를 좋았다. 가끔 알 수 없는 것들을, 가질 수 없는 것들을 선망하는 철부지처럼 굴어대는 그녀가 좋았다. 그래서 그게 무엇이든 그녀가 원하는 것들을 주고 싶었다. 원하는 것을 끝없이 내주고 싶은 마음. 어쩌면 그게 사랑일지도 모른다고 생각했다.

우리는 서울에서 직선거리로 가장 가까운 해수욕장으로 떠나기로 했다. 택시 뒷좌석에 나란히 앉아 각자의 창문에 기대어 오래도록 아무 말도 하지 않았다. 택시 기사는 가끔 그런 우리 둘을 룸미러를 통해 힐끔거리며 서둘러 도심을 빠져나가려 바퀴가 달린 쇳덩이에 연신 불을 붙여댔다. 나는 택시 기사에게 에어컨을 조금 줄여줄 수 있느냐고 말하고 창문을 조금 열었다. 거리에 쏟아진 비로 습해진 공기가 택시 안으로 빨려 들어왔다. 비가 그치고 난 거리만큼 내 마음이 금세 차분해졌다.

택시가 영종도에 진입했을 때 세계도 빠른 속도로 어둠의 복부 속으로 진입해 있었다. 반대편으로 지나가는 자동차 헤드라이트를 멍하게 보고 있다가 문득 지나간 것들에 대해 생각했다. 루다는 창문에 반쯤 기대어 눈을 감고 있었는데 잠이 든 것 같지는 않았다. 루다는 이따금씩 창밖 세계에 대해 읊조리듯 질문을 하고는 다시 눈을 감았다. 서울을 빠져나가는 광역버스 정류장을 지나칠 때는 무택 씨, 기다린다는 건 뭘까? 라거나 도시고속도로를 빠른 속도로 달리고 있을 때는 무택 씨, 내가 세계를 지나가는 걸까? 세계가 나를 지나가는 걸까,라는 식의 질문을 던졌다. 나는 그때마다 대답을 할까 고민하다가 대답을 원해서 하는 질문은 아닌 것 같아서 그만두었다.

택시는 목에 뻣뻣하게 힘을 주고 서 있는 고층 아파트 부락을 벗어나 기다란 뱀처럼 굽어있는 콘크리트 다리에 올라섰다. 인천 대교였다. 나는 순간 수천 년 동안이나 육지와 섬이라는 각자의 몸으로 살던 땅덩어리를 억지로 이어 붙인 인간들의 의지와 욕망이 두렵다고 생각했다. 인간들은 돈과 편익을 위해서라면 그게 무엇이든지 해내고 말 것 같았다. 그 거대한 욕망의 힘이 두려웠다. 나는 물리적 거리를 어림 계산해 보았다. 20킬로미터면 강남에서 분당까지의 거리였다. 그 긴 바다의 잇몸에 수백 개의 잿빛 임플란트를 박아 넣은 것이다. 때때로 누군가의 고통은 누군가의 기쁨이 된다. 그런 의미에서 인간은 잔인하다. 나는 인천대교를 건너가며 생각했다.

인천공항 인근을 지날 때는 비행기가 머리 위로 손을 뻗으면 닿을

모든 것은 사라진다

것처럼 가까이 내려앉고 있었다. 비행기의 배를 그렇게 가까이서 본 것은 처음이었다. 나는 순간 1997년에 서울을 떠나 괌으로 가던 보잉 747 대한항공 801편이 착륙 직전 추락한 항공사고가 떠올랐다. 아주 어린 나이에 티브이를 통해 본 장면이 떠올랐다. 어렴풋한 기억 속에서 아수라장이라는 아나운서의 음성은 또렷이 기억이 났다. 나는 당시그 단어를 듣고 무슨 최면에 걸린 사람처럼 반복되는 사고 현장 화면에 눈을 떼지 못했다. 말 그대로 그 아수라장인 현장에서 한동안 헤어나오지 못했다. 아니, 아직도 벗어나지 못한 것일지도 모른다. 그 후 인간들이 우글대는 모든 곳이 아수라장으로 보였기 때문이다.

왜인지 모르겠지만 그날 이후 살면서 언젠가 한 번은 나에게도 저런 아수라장 같은 사고가 벌어질 거라 생각했다. 그래서 되도록 사람들이 많은 곳에는 가지 않으려 노력했다. 그로부터 6년 후에는 지하철에불이 났고, 또 축구장보다 커다란 배가 수백 명의 아이들을 안고 거짓말처럼 바닷속으로 가라앉기도 했다. 그때마다 누군가는 아수라장이라는 말을 반복했다. 그때 나는 무려 일주일이나 제대로 된 음식물을먹지 못했다. 위장이 기절한 것처럼 움직이지 않았기 때문이다. 이후로 나는 가능하면 뉴스를 찾아보지 않았다. 어릴 적 할머니는 틈만 나면 모르는 게 약이라고 돌아앉아 화투장을 맞췄다. 그때 나는 그 말이도무지 이해되지 않았는데 시간이 흐르면 흐를수록 인간은 지독하게형편없고, 이 세계가 지독하게 유치한 정쟁만 가득하다는 것을 알게된 후로는 할머니의 말이 이해되기 시작했다. 정말로 모르는 게 약이라는 생각이 드는 일들이 가득했다. 인간 사회의 부조리를 하나하나

뜯어보다 보면 정말로 배가 너무 아팠기 때문이다. 너무도 비상식적인 일들도 아무렇지 않게 무리를 지어 윽박을 질러대는 인간들을 볼 때 특히 그랬다. 꼴 보기 싫은 인간들은 상종을 안 하는 게 상책이라는 할머니의 혜안에 늦게나마 박수를 보낸다.

그렇다. 내가 듣거나 보지 않으면 아무 일도 일어나지 않는다. 이상하게도 세계에 대한 시야가 좁아질수록 나의 세계는 넓어지는 것 같았다. 그래서 나는 의도적으로 아무것에도 관심을 두지 않으려고 노력했다. 맥주를 마시는 동안에는 맥주는 마시는 일 이외 어느 것에도 크게 관심을 두지 않으려 노력했다. 나는 정확히 그 정도의 인간이다. 그렇다고 부조리한 세계를 바꾸기 위해 노력하는 수많은 사람들을 폄훼하고 싶지는 않다. 다만, 나는 이 정도의 인간으로 살다가 죽을 것이다.

택시는 백사장 앞에 일 차선 도로에 멈춰 섰다. 어둠이 짙게 깔린 긴 모래 해변이 맞은편에 줄지어 늘어선 횟감을 파는 식당들의 불빛들로 속살을 반쯤 드러내고 있었다. 루다는 내리자마자 두 팔을 크게 벌리고 엄마를 찾는 어린아이처럼 큰소리로 하품을 했다. 그러고는 뛰어가듯 바다로 걸음을 옮겼다. 택시 기사는 하루 사납금을 한 번에 채워서 그런지 몰라도 신이 난 사람처럼 쏜살같이 차의 엉덩이를 돌려 나갔다. 나는 그런 택시와 뱃속처럼 시꺼먼 바다로 향하는 루다를 번갈아 바라보다가 해변으로 향해있는 콘크리트 계단에 앉아 담배를 꺼내 물었다.

루다는 계속해서 뭐라고 소리를 질러댔지만 어떤 기호가 담긴 소리는 아니었다. 바다는 입을 다물고 있는 사람처럼 어둡고 조용했다. 간

모든 것은 사라진다

조인 것 같았다. 나는 어둠에 담겨있는 바다를 보며 담배를 피웠다. 왜 그런지 모르겠지만 담배는 바다와 잘 어울렸다. 소다맛 쭈쭈바를 먹으면서 피우는 담배맛처럼 시원하고 달콤했다. 담배연기를 한 모금 머금어 내뱉고 나니 갑자기 이상한 생각들이 쏟아졌다.

빛이 먼저인가, 어둠이 먼저인가. 누가 세계를 기울여 바다를 가져가는가. 이런 종류의 쓸데없는 생각들이 이어졌다. 나는 담배를 계속 피우며 그런 생각들이 지나가도록 내버려 두었다. 깊게 생각하지는 않기로 했다. 그러는 동안 백사장으로 달려갔던 루다가 돌아와 내 옆에 앉았다. 순간적으로 샴푸 냄새인지 향수인지 모를 인공적인 향이 났다.

들려?

무슨 소리?

파도 소리.

아니, 아무것도 안 들리는데.

나는 들려. 아주 멀리. 아주 멀리서 무언가를 찾고 있는 파도 소리가 들려.

무얼 찾고 있는데?

음⋯바람. 파도는 바람을 찾고 있는 거야. 파도는 바람이 오지 않아서 아직까지 돌아오지 못 오고 있는 거야. 그래서 열심히 바람을 찾고 있는 거지.

나는 조용히 웃어주었다. 루다도 따라 웃었다.

무택 씨 하루키 첫 소설 제목이 왜 '바람의 노래를 들어라' 인지 알아?

몰라.

파도 소리. 바람은 파도가 없으면 아무 노래도 부를 수 없어. 그래서 결국 바람이 없으면 파도도 없고, 파도가 없으면 바람도 없는 거지. 결코 혼자 일 수 없는 존재.

나는 루다의 말이 제법 그럴듯하다고 생각했다. 그래서 계속해서 고개를 끄덕였다. 바닷가에 앉아 있는 게 맞나 싶을 정도로 바람 한 점 없는 날이었다.

가자.

루다가 갑자기 일어서며 말했다.

어디를?

바람의 노래를 들으러.

루다가 내 손을 잡았다. 루다의 손은 한낮의 모래처럼 따뜻하고 부드러웠다. 루다의 손가락이 내 손가락 사이로 파고드는 순간 마치 플러그를 콘센트에 연결한 순간처럼 따뜻한 전기가 흘렀다. 우리는 모래사장을 지나 초코케이크 같은 개펄에 도착했다. 루다는 스니커즈를 가지런히 벗어 놓았다. 나도 루다 옆에 흰색 나이키 에어맥스를 벗고 양말을 구겨 넣었다.

고독 속으로 돌아가야 한다.

우리는 커다란 고독같은 개펄 속으로 걸어갔다. 루다는 내 손을 가만히 잡았다. 나는 그런 루다의 손을 놓치지 않기 위해 걸음에 신경을 썼다. 걸음을 옮기면 옮길수록 점점 짙은 고독의 문이 계속 열리고 있

모든 것은 사라진다

는 것 같았다. 묵직한 안개가 사체를 발견한 하이에나 떼처럼 우리의 주변으로 모여들고 있었다. 그럼에도 우리는 계속 걸었다. 누군가 발목을 잡아당기는 것처럼 질척거렸지만 멈추지 않고 걸었다. 어느 지점에 이르러 우리가 너무 멀리 와버렸다는 것을 깨달았다. 그러나 우리는 멈추지 않았다. 걸음을 멈췄을 때는 이미 귀가 먹먹해질 정도의 어둠 속에 들어와 있었다. 아무 소리도 들리지 않았고 아무것도 보이지 않았다. 마치 세계가 커다랗고 검은 이불을 뒤집어쓰고 있는 것 같았다. 나는 아직까지도 그 짙은 어둠의 촉감을 생생히 기억하고 있다. 그곳은 우리 둘뿐인 세계였다. 분명 눈을 뜨고 있었지만 눈을 감고 있는 것 같은 어둠과 적막의 세계. 아주 깊은 바다 속이나 우주 한가운데를 유영하고 있는 것 같은 기분이었다. 우리는 서로의 손을 더욱 세게 쥐었다. 손이 아니라 서로의 세계 전체를 잡고 있는 것 같았다. 두려움과 흥분이 뒤섞인 공간이었다.

무택 씨. 들려?
루다가 말했다.
나는 숨을 죽여 귀를 기울였다. 정말이지. 아주 멀리서 파도 소리가 들렸다. 정말로 바람의 노래 같았다.
루다가 가만히 손을 놓았다. 나는 잠깐 정신을 잃은 것처럼 혼란스러웠다. 적막과 어둠이 주는 공포에 잠시 흔들렸다. 그러나 결코 기분 나쁜 공포는 아니었다. 완벽히 차단된 빛과 소리. 아주 잠깐 여기가 브루스가 말했던 세계의 끝인가, 하고 생각했다. 브루스는 다시 사랑하는 사람이 생긴다면 함께 세계의 끝으로 가겠노라 말했다. 브루스는 그것이 진정으로 갈 때까지 간 사이라고 말하며 호탕하게 웃었다. 그런 생각을 하는 동안 루다가 손을 놓고 걸음을 옮겼다. 루다의 발걸음 소리가 들리지 않았다. 순간 루다가 완벽하게 사라졌다고 느꼈다.

무택 씨, 우리가 지금 얼마나 떨어져 있는 걸까?

나는 루다의 목소리를 향해 순간적으로 몸을 돌렸다. 분명 그리 멀지 않은 곳에 있었지만 아무것도 보이지 않았다.

나 안 보여?

응. 아무것도 안 보여.

루다는 숨바꼭질을 하는 애들처럼 잠깐 신이 난 것처럼 보였다.

무택 씨, 내가 나중에 이렇게 사라지면 어떻게 할 거야? 아주 감쪽같이 세상에서 사라지면.

음……소설을 쓸게.

나는 나도 모르게 대답했다. 소설이라는 단어가. 지금 이 상황과 가장 알맞은 단어라고 생각하고 있었기 때문이었다.

소설?

응. 소설.

무슨 소설을 쓸 건데.

사라지는 것에 대해.

멋진데?

그렇다면 그걸 읽기 위해서라도 정말로 사라져야겠는데?

읽지는 못할 거야.

왜?

누구에게도 보여주지는 않을 생각이니까.

그건 왜?

분명 바나나를 실컷 먹고 난 긴팔원숭이처럼 말도 안 되게 지루한 글이 될 테니까.

그렇다고 정말 누구도 보여주지 않을 거야?

응. 지금으로서는.

그래 그럼. 뭐든 상관없어. 난 무택 씨가 나에 대한 소설을 쓴다면 언제나 환영이야. 내 몸에 관해 쓰겠다면 당장이라도 옷을 다 벗어 줄 수도 있어. 정말이야. 무택 씨 이쪽으로 와.

루다가 휴대폰을 꺼내 라이트를 켰다. 나는 빛으로 사람을 때린다면 바로 그런 순간일 거라 생각했다.

루다는 고작 열 걸음 정도의 거리에 서 있었다. 루다는 다시 내 손을 잡았다.

보여줄까?

루다가 티셔츠를 살짝 들어 보이며 말했다.

아니. 그럴 필요 없어. 모든 걸 꼭 봐야 쓸 수 있는 건 아니니까.

면 벽 수행을 최소 100일 정도는 거뜬히 견뎌낼 수 있는 인간이 아니면 도저히 읽을 수 없는 그런 소설이 될 거야. 인간이란 결국 자기 자신만을 탐독하는 존재니까 내 소설도 지루한 나로부터 한발자국도 벗어나지는 못하겠지.

루다가 운동화를 바닥에 질질 끌어대는 것처럼 클클클 하고, 웃었다.

안 나갈 거야?

내가 말했다.

여기 이렇게 있으니까. 우리가 무엇이든. 무엇이었든. 그게 아무것도 아니라는 생각이 들어. 그냥 우리 둘. 우리 둘 이외에는 아무것도 아닌. 아무것도 필요 없는. 그런 세계에 있는 것 같아. 어쩌면 죽음도 이렇지 않을까. 심해나 우주같이 끝없이 어두운 공간에 홀로 서 있는 것처럼. 언제 어디로 가야 하는 지도 알 수 없는 그런 세계. 아마 무척 외로울 거야. 그래도 지금처럼 혼자가 아니면 어디든 견딜 수 있을지도 몰라. 무택 씨 지금은 나 뭐든지 할 수 있을 것 같아. 당장 죽을 수도 있을 것 같아.

바다에 잠시 취해서 그런 걸 거야.

응. 지금 아무렇지도 않아. 정말. 아무렇지도 않아.

그렇게 계속 아무렇지도 않았으면 좋겠다.

응…맞아. 그랬으면 좋겠어. 정말 전부 아무렇지도 않았으면 좋겠다.

루다가 다시 손을 놓고 말했다. 그러고는 두 팔을 날개처럼 펼치는 것을 어렴풋이 느낄 수 있었다.

무택 씨. 들어봐. 바람의 노래가 점점 가까워지고 있어.

정말 파도 소리가 처음보다 가까워진 것 같았다.

이렇게 몇 시간만 서 있다 보면 아니 어쩌면 당장이라도 루다가 말한 바람의 노래 속에 꼼짝없이 잠길 수도 있다고 생각했다. 나는 죽음 같은 어둠 속에서 분명하게 살아있음을 느꼈다. 그 언제보다 죽음의 공포와 함께 삶의 욕구가 밀물처럼 묵직하게 밀려왔다.

모든 것은 사라진다

나한테 무택 씨가 없었으면 너무 쓸쓸할 것 같아. 갑자기 그런 생각이 들어.

나는 아무 말도 하지 않았다.

이 손 놓지 마.

루다가 말했다.

응.

내가 대답했다.

무택 씨. 나 계속 좋아해 줘야 해. 세상에 한명 쯤 나를 좋아해 주는 사람이 있다는 것. 그런 생각을 하면 살 것 같아. 한 명만 있으면 돼. 나도 무택 씨 좋아해. 그러니까 무택 씨도 살아. 내가 좋아하니까. 알겠지?

그래. 그렇게. 그러자…….

고마워. 우리는 연인도 아니고, 결혼한 사이도 아니니까. 헤어질 일도 없잖아. 그래서 좋아. 헤어지지 않아도 되니까. 계속 이렇게 이 정도 거리에서 서로 좋아해 주면 되니까.

힘내.

내가 루다의 손을 잡고 말했다.

그때 빗방울 같은 눈물이 내 손등 위로 떨어졌다. 동시에 루다가 흐느끼는 것을 느꼈다. 칠흑 같은 어둠과 고요 속에서 루다의 울음은 더욱더 차갑고 격렬하게 느껴졌다.

힘내라니까. 왜 울어….

루다는 뜨겁게 울음을 쏟아냈다. 짙은 서러움이 끓어 넘치는 것 같았다. 늦여름 장마처럼 쉽게 멈출 것 같지 않았다. 나는 루다를 가만히 안았다. 루다의 머리칼과 뜨겁게 달아오른 귓바퀴가 내 볼에 닿았다. 루다는 눈물이 많다. 그래서 바다를 닮았다. 갑자기 눈물은 왜 짠가, 라는 함민복의 시가 떠올랐다. 루다가 들썩일 때마다 복어처럼 몽글한 루다의 젖가슴이 그대로 느껴졌다. 나는 이런 상황에서도 여성의 수유 기관이 신경 쓰이는 일이 과연 적절한 일인가 생각했지만 그것이 내 맘대로 되는 일은 또 아니었기 때문에 누구를 탓할 일은 아니라고 생각했다. 나는 가만히 루다의 어깨를 쓸어안으며 다독였다.

괜찮아. 괜찮을 거야……전부 아무것도 아니야.

나는 루다의 볼에 입술을 갔다 댔다. 눈물이 입술 끝으로 흘러내렸다. 나는 루다의 눈물을 머금고 루다의 입술에 내 입술을 포갰다. 깊고 깊은 어둠 속으로 빠지는 것처럼 우리는 서로의 안으로 빠져들어 갔다. 한동안 그렇게 서로의 고독을 뜨겁게 나누는 동안 발밑으로 세계의 끝에서부터 밀려오는 파도의 진동이 느껴졌다. 바람의 노래가, 아니 파도가 금방이라도 우리 두 사람을 삼켜버릴 듯 가까이에서 씩씩거리고 있는 것 같았다. 발밑이 점점 차가워졌다. 두려웠지만 두렵지 않았다.

나라는 존재가 아무것도 아닌 것 같아. 갑자기 그런 생각이 들어.

루다가 울음을 그치고 말했다. 그리고는 나를 조금 더 세게 안았다. 루다의 심장이 내 심장을 두드리고 있는 것처럼 가까이 느껴졌다. 나는 감색 면 티셔츠 하나만 입고 있었기 때문에 루다의 몸에 흐르는 혈

모든 것은 사라진다

류를 그대로 느낄 수 있었다. 나는 이런 걸 두고 사람과 사람이 하나가 됐다고 하는 게 아닌가, 하고 생각했다.

그러나 나는 한 번도 자기 생존이 우선이지 않은 인간 개체를 본 적이 없다. 산소와 수소가 아닌 이상 인간과 인간의 결합은 애초에 불가능하다고 생각했다. 두 사람이 하나가 되었다는 것은 한 사람의 소멸을 의미한다. 맹수가 살아있는 먹이를 껴안고 있는 것처럼. 나는 그런 의미에서 결혼제도를 혐오했다. 합법적으로 생물학적으로든 경제적으로든 힘이 센 쪽이 상대를 어떤 식으로든 소멸시키기 때문이다. 결혼의 단꿈은 그저 꿈꿀 때만 아름답다. 인간은 결코 믿을만한 짐승이 아니다.

인간은 원래 아무것도 아니야. 아무것이라고 착각하고 사는 것일 뿐. 그래도 그런 인간들이 잘못됐다는 건 아니야. 오히려 착각이든 뭐든 스스로 아무것이라고 생각하고 평생을 살다가 죽는다면 그것이야말로 정말 아무것이 된 걸지도 몰라. 그런데 나는 알아. 인간은 원래 아무것도 아니라는 것을. 인간이 만들었다는 세계도 우주에 비하면 오줌을 갈기다가 신발에 튄 흙먼지 정도일 테니까. 그러니까 루다 씨가 생각하는, 루다 씨한테 일어난 모든 일들도 전부 아무것도 아니야. 우리는 그냥 생존에 열중하는 거야. 그게 우리가 할 수 있는 유일한 일이라고 생각하고 그렇게 사는 거야. 살아있거나 살아남는 일. 그 일이 설령 무의미한 일 일지라도 그냥 그렇게 사는 거야. 두더지가 땅을 파듯이. 정어리 떼가 지느러미를 휘두르며 끝없이 헤엄을 치듯이. 주어진 생을 짊어지고 앞으로 나아가는 거지. 어쩌면 정말 아름다운 것은 우리 눈에 보이지 않는 것일지도 몰라. 여기처럼.

　내가 안개처럼 나직하게 말했다.

　시간이 흐를수록 파도를 이끌고 오는 바람이 거세지는 것을 느낄
수 있었다.

　무섭고 두려워.

　나도 그래.

　우리 이렇게 죽어버릴까?

　왜.

　힘들어……전부.

　힘들어서 죽어버린다면, 지구상에 있는 동물의 절반 이상은 다 죽
어야 할지도 몰라.

　슬퍼…….

　아마 지금 왜가리나 큰 부리 새마저도 슬퍼하고 있을 거야. 모든
살아있는 것들은 다 슬퍼.

　루다가 흐느끼면서 웃었다.

　나는 지금 너와 더불어 슬프다.

　나는 어둠속에서 반짝이는 루다의 숨결을 느끼며 생각했다.

　무택 씨, 첫 소설 제목은 생각해봤어?

　아직.

　우리는 끝내 알지 못할 것이다. 어때?

　음…. 나쁘지 않네.

우리는 끝내 알지 못할 거야. 그렇지?

응. 우리는 알지 못할 거야.

다행이다. 나만 모르는 게 아니라서.

지구상의 모든 존재가 존재 이유를 알지 못하듯이 우리도 우리를 끝끝내 알지 못할 거야.

보면 볼수록. 이상해. 무택 씨 참 이상한 사람이야.

인간은 다 이상해.

그래서 좋아. 이상해서.

나는 너도 네가 생각하고 있는 것보다 이상한 인간이라고 말해주려다가 그만두었다. 이상한 인간에 대해 이야기를 하다 보니 토끼를 따라 이상한 나라의 굴속으로 뛰어든 앨리스가 떠올랐다. 폭정을 일삼는 하트의 여왕까지. 나는 바다 한 가운데에서 루다와 함께 위험을 각오하는 나의 어리석음을 동경하고 있었다.

무택 씨 나 좀 업어줄 수 있어?

업어 달라고? 아기처럼?

응.

그래, 뭐 그렇게 어려운 일은 아닐듯해.

우리 술 마시자.

루다가 등 뒤에 서서 목을 감싸 안고 말했다.

나는 루다를 업고 새삼 한 사람이라는 존재가 이렇게 가볍구나, 하고 생각했다. 존재는 결국 가볍고 연약한 시간의 축적일 뿐이라고 생각했다. 나는 루다를 업고 걸음을 옮겼다. 한 걸음. 한 걸음. 걸음을 옮길 때마다 그만큼 루다의 섬약한 생을 함께 짊어지고 있다는 기분이 들었다. 나는 비로소 내가 살아야 할 이유를 찾은 것 같았다. 누군가의 가냘픈 생을 기꺼이 짊어질 수 있다는 것. 어쩌면 그것이 사랑이 아닐까. 나는 루다를 업고 걷는 동안 생각했다. 그것은 내 인생에서 가장 무겁고 단단한 걸음이었다.

루다는 그날 페이스북에 짧은 메모를 남기고 사라졌다. 정말 흔적도 없이 이 세계에서 사라졌다. 나는 루다를 통해 인생의 끝이 반드시 죽음이 아닐 수도 있다는 것을 알았다. 나는 그날 이후 그 어디에서도 루다의 흔적을 찾을 수 없었다.

모든 것은 사라진다.

∞

바람은 분다. 바람은 어디에나 분다. 내 마음에도 바람은 분다. 바람은 심장에서 일고 손끝에서 소멸한다. 나는 그날 너의 손끝을 기억한다. 너와 나의 세계의 끝. 파도를 데리고 온 그 바람. 그 나지막한 노래를 기억한다. 그날의 어둠을 기억한다. 바람의 감촉 서늘함 하나하나의 분자까지도 모두 기억할 수 있다. 그날의 나는 누구인가. 지금의 나는 누구인가. 아무것도 알 수 없다.

모든 것은 사라진다

모두 당신에게 가는 계절이다

브루스는 몸속에 폭탄이 있다고 했다. 그의 아버지도 그의 형제도 모두 같은 폭탄을 갖고 있었으며 그 덕분에 모두 일찍 세상을 떠났다고 했다. 그들은 모두 아주 성실하게 하루하루를 살다가 풍선이 압력을 견디지 못하고 팡, 하고 터지듯 생을 마감했다. 모두 좋은 사람들이었다고 말했다.

브루스는 내가 한참 달리기에 빠져 쓸데없이 운동장을 몇 번이고 가로지르는 일에 몰두하던 시기에 철봉 밑에 나란히 기대앉아 말했다.

나도 뛴다는 것을 사랑했었지. 가슴이 터질 것처럼 숨이 차게 뛰고 나면 세상이 다 내 것 같았지. 그런데 언젠가 단순히 그럴 것 같은 느낌이 아니라 정말로 내 심장이 터져버릴 수도 있다는 사실을 알게 됐지. 그것도 말라버린 둥굴레처럼 늙어버린 의사가 내 심장사진을 보면서 이런 경우는 처음 봤다는 식으로 그 얘기를 지껄였을 때는 꽤나 심각했어. 쉽게 설명한다는 핑계로 몸속에 폭탄을 갖고 사는 것과 마찬가지라고 말했지. 지금 생각해보면 정말로 형편없는 비유였어. 그런데 그 이후로 나는 뛰지 못했어. 정말로 심장이 터져버릴 것 같았거든. 젠장. 그때가 스물 둘이었어. 그때 내 허벅지는 모르긴 몰라도 서울에서 강원도 정선까지 뛰어가 밤새도록 슬롯머신을 당기고 다시 뛰어 돌아와도 끄떡없을 정도로 멀쩡했는데도 말이야.

그 늙수구레가 내 몸속에 있는 폭탄의 타이머가 언제인지는 아무도 모른다고. 오늘이 될지 내일이 될지도 모르지만. 재수가 좋으면 60년 뒤가 될 수도 있다고. 그러니까 너무 걱정은 하지 말라고 말하더군. 미국 대통령이었던 링컨이었던가, 하여간 그 인간도 나와 비슷한 병이었는데 콧수염이 하얘질 때까지 살아남았다고. 심장에서 나오는 가장 큰 혈관, 즉 대동맥이 약해 찢어지거나 터지기가 쉬운데 이때 즉각적인 조치를 받지 못하면 생명을 잃는다고. 통증이 없더라도 늘어난 대동맥 때문에 혈액이 역류하면서 호흡곤란이 올 수도 있다고. 그 늙수그레한 의사 놈은 듣는 사람 기분은 생각도 안하고 어지간히도 떠들어댔어. 어쨌든 정말로 심장이 풍선처럼 부풀다가 빵, 하고 터질 수도 있다고 말하고는 아주 살짝 웃었던 것 같아. 정말 끔찍한 노인네였어. 아무튼 나는 아직도 살아있어. 그것도 이렇게 멀쩡하게 맥주를 마시면서 말이야. 그러니까 너무 걱정하지 마. 인간은 누구나 폭탄 하나쯤은 안고 살아가잖아.

모두 당신에게 가는 계절이다

∞

　우리는 짙은 화강암 상판의 홈바 테이블에 앉아 술을 마셨다. 그는 맞은편에 앉아 싱글몰트 위스키를 얼음에 희석해 마셨다. 그의 어깨 너머로 꽤 많은 위스키가 진열돼 있었다. 나는 결혼식 피로연에 그가 늘어놓은 수많은 주류를 떠올렸다. 고층의 고급 아파트였다. 바닥과 벽 모두 백색계열의 대리석으로 치장돼 있었고 한쪽 벽은 전부 통창이었다. 넓고 긴 창을 통해 서울 도심의 야경이 부엌의 턱까지 쏟아져 들어왔다. 멀리 8차선 도로 위로 헤드라이트를 켜고 오고 가는 자동차가 장난감처럼 보였다. 나는 고층 빌딩에 이렇게 오래도록 머물러 본 적이 없다. 그것만으로도 충분히 어지러웠다.

　무택 씨는 사랑이 뭐라고 생각해요?

　그는 독한 위스키를 연거푸 들이마시고 몸이 난파선처럼 흔들거렸지만 의식은 비교적 또렷해 보였다.

　나는 맙소사. 사랑이라니, 라고 생각했다.

　글쎄요. 그냥 느낌이 아닐까요.

　음…. 그럴듯한 대답이네요. 사랑은 그냥 느낌이다.

　그는 반도체 기계처럼 규칙적으로 손가락만한 작은 집게를 들어 크리스탈 유리잔에 얼음을 옮겨 담으며 말을 이었다.

　어떤? 좀 더 구체적으로 어떤 느낌이요?

　그냥, 뭐라고 단정 짓기는 좀 어려운 감정 같은데요.

두 사람 되게 비슷하네요. 이 사람도 인생을 그렇게 살거든요. 뭔가 뭉뚱그리거나 대충 얼버무리면서 산다고 할까? 인생은 그렇게 살면 안 되거든요.

그는 왼손을 뻗어 루다의 어깨를 한 번 쓸어내리며 말했다.

루다가 그의 손길에 아주 잠시 몸서리치는 것이 보였다. 루다는 증오가 가득 차 있는 것처럼 느껴졌다. 처음 보는 살기어린 눈빛이었다.

이 사람이 이래요. 제 말이라면 귓등으로 듣고 봐요. 아주 고약한 습관이죠. 여자로서도 그렇고 아내로서도 영 소질이 있는 것 같지는 않아요.

그는 이를 환하게 드러내고 큰 소리로 웃었다. 무엇이 그를 그토록 즐겁게 했는지 도무지 알 수 없었다.

그렇게 아무렇게나 말 좀 하지 마. 취한 척하는 것도 역겨워.

루다가 갑자기 복통에 시달리는 사람처럼 배를 움켜잡고 미간을 찌푸리며 말했다.

이렇다니까요. 이 사람이 이렇게 예의가 없어요. 남편에 대한 존경과 헌신은 발톱만큼도 찾을 수가 없다니까. 그래도 뭐 그게 매력이기도 해요. 여자는 좀 튕기는 맛이 있어야지.

나는 상황이 점점 기괴해져가는 것 같다고 느꼈다.

이 사람에 대해 얼마나 알고 있어요?

그가 물었다.

글쎄요. 잘 모릅니다.

잘 알지도 못하는데 사람을 만나요? 그렇게 사람을 우습게 알고 만

모두 당신에게 가는 계절이다

나니까, 인간사회가 전부 엉망이 되는 거야. 그래도 된다고 생각하니까.

그는 갑자기 화가 난 사람처럼 얼굴을 붉히며 말을 이어갔다.

아무것도 모르면서 만나니까. 그저 드라마처럼 결혼만 하면 행복이 저절로 굴러오는 줄 알고. 근데 막상 결혼해보면 그게 아니니까. 다른 걸 찾아요. 애를 낳으면 애가 막 행복을 퍼다 줄 거라 또 착각을 해. 그러다 현실은 드라마랑 달라도 한참 다르구나, 하고 깨닫고는 창문밖으로 애를 집어 던지는 상상을 하다가 후회를 퍼마시고 자살을 해. 그게 다 처음부터 알지도 못하고 사람을 만나서 그렇게 되는 거야. 알아?

나는 그의 말을 들으면서 서둘러 이곳을 빠져나가야 한다고 생각했다. 그보다 먼저 그에게 언제 봤다고 반말을 하냐고 따져 물으려 했으나 갑자기 그가 태도를 또 바꾸는 바람에 그 말도 할 수 없었다.

혹시. 얘기 들으셨죠? 우리 이혼 얘기요.

네?

우리 이혼한다는 얘기 들으셨죠?

네. 들었습니다.

역시 얘기했군요. 그래서 우리 이혼하면 이사람 만날 건가요?

루다가 배를 움켜쥐고 자리에서 일어나 보이지 않는 공간으로 사라졌다. 얼마 지나지 않아 아이 울음소리가 들렸다. 나는 당장 루다를 데리고 나가고 싶었다.

이해하세요. 저 여자는 신경 쓰지 말고. 자, 우리끼리 본격적으로 한 잔 합시다.

그가 잔을 내밀며 말했다.

아니요. 저는 이제 그만 가봐야겠습니다.

이해합니다. 저는 다 이해합니다. 그러니까 솔직해지셔도 됩니다. 나는 아주 쿨한 사람이에요. 같은 남자끼리 솔직하게 얘기해 보자구요. 솔직히. 나는 그런 걸 좋아합니다. 남자들끼리 하는 진짜 대화. 우선 섹스에 대해 말해봅시다.

그런 주제라면 하고 싶은 말이 없습니다.

그거 때문에 저 사람 만나는 거 아니에요? 섹스, 그거 하고 싶어서.

아닙니다.

아니라고? 내가 진짜를 얘기 해줄게. 모든 건 바로 섹스 때문이야. 너도 섹스 때문에 태어났고, 섹스 때문에 살고 있는 거야. 알아? 인간은 오직 그것만을 위해 태어났다고. 그건 하등한 인간 따위가 어쩔 수 있는 게 아니야. 아닌 것처럼 포장하고 미화하고 있지만 결국 인간은 섹스를 하기 위해 존재하는 동물일 뿐이라고. 그런 이유로 너는 내 아내를 만나는 거야. 안 그래?

그가 바닥에 한 모금 정도 남아있던 위스키를 끝까지 마셨다. 그리고는 술병을 들어 축축축 다시 잔을 채웠다. 싱글몰트 종류 중에 가장 흔한 글렌피딕이었다. 나는 알 수 없는 공포를 느꼈다. 그래서 그런지 발가락에 계속 힘이 들어갔다.

그가 갑자기 커다란 술병을 들어 꿀꺽꿀꺽 삼켜댔다. 그의 턱은 계속 벌어졌고 입은 길게 찢어지다가 결국 그 자체가 커다란 개구리로 변해버렸다. 그는 껑충껑충 뛰어서 사라져버린 루다를 찾아내 긴 혀로 끌어안고는 입 속으로 꿀꺽 집어 삼켰다. 분명히 느낄 수 있었다. 다

모두 당신에게 가는 계절이다

음은 목표는 나라는 것을. 나는 서둘러 도망쳐야 된다고 생각했다. 그러나 끈끈이 쥐덫이라도 밟은 것처럼 몸이 움직이지 않았다. 있는 힘을 다해 한 발 한 발 출입문을 향해 뛰고 있었지만 내 몸은 바다 속에 가라앉은 무거운 납덩이처럼 바닥에 붙어있었다. 그는 그런 나를 보며 웃고 있는 것 같기도 하고 아닌 것도 같았다.

씨발, 네들 잤지?

어렴풋이 그가 뒤에서 깔깔거리며 조롱하는 목소리가 들렸다. 갑자기 오줌이 마렵다고 느꼈다. 도망치기 전에 오줌부터 싸야 한다는 생각이 들었다. 나는 그렇게 잠에서 깨어 화장실로 갔다. 오줌을 싸버린 것이 아닌가, 하고 착각이 들만큼 온 몸이 땀으로 젖어 있었다. 걸음을 옮길 때마다 장판에 발바닥이 쩍쩍 달라붙었다.

∞

브루스의 아내는 이미 싸늘하게 굳어버린 브루스의 시체를 확인하면서 시팔. 차라리 잘됐다, 라고 속엣말을 내뱉었다.

브루스는 늘 불안해했다. 특히 새벽녘 중간에 잠에서 깨어나면 집안을 뛰어다니듯 돌아다녔다. 불안은 브루스의 몸 속에서 면역세포에 잡히지 않는 박테리아처럼 계속해서 번식했다. 어쩌면 그의 죽음은 아내의 말처럼 차라리 잘된 일일지도 모른다. 그렇다. 죽음은 결코 나쁜 것이 아니다. 브루스의 죽음은 갑작스러웠지만 우리는 모두 마치 준비가 된 사람처럼 그의 장례를 치뤘다.

브루스는 양손을 가슴에 가지런히 얹고 평화롭고 편안하게 잠들어 있었다. 영원한 평안이라는 게 있다면 그곳에 다다른 표정이었다. 그의 아내는 브루스의 옷장에서 잘 다려놓은 셔츠와 면바지를 입혀주었다. 그리고 브루스가 사진관에 가서 직접 찍어놓은 영정사진을 챙겼다. 구급대원과 경찰이 왔을 때 그동안 병원 진료를 받은 진단서를 보여주며 차분히 설명하고 돌려보냈다. 부검은 하지 않기로 했다.

나는 브루스가 정말 알맞은 때에 죽었는가에 대해 생각했다. 그것은 남아있는 사람들의 몫이라 때로는 알맞은 때에 죽었다고 생각이 들다가도 어느 때는 너무 일찍 죽었다고 생각했다. 기필코 삶의 완성은 죽음이다. 나는 지금까지 살아오면서 때때로 루다를 떠올렸고 죽음 뒤에 찾아오는 생에 대해 생각했다. 그리고 존재하지 않으면서 존재하는 존재는 무엇이라고 불러야 할까, 하고 생각했다.

∞

'난 계속 걸을게. 그래야 당신이 결정하기 쉽지.'

휴일이면 류와 함께 침대에 누워 하루 종일 영화를 봤다. 우리는 봤던 영화를 계속해서 반복해서 보는 것을 좋아했는데『글루미선데이』도 그 중에 하나였다. 우리는 꽤 오랫동안 부다페스트와 일루나에 빠져 있었다. 동시에 두 남자를 사랑한 여자. 동시에 한 여자를 사랑한 두 남자.

저토록 지독하게 누군가를 사랑 한다는 게 가능할까.

류가 말했다.

전부 착각이 아닐까. 사랑이라는 거.

아닐 거야. 이것 봐. 아침이 이렇게나 아름답잖아.

류가 손바닥 위에 햇볕을 올려놓고 말했다.

몸에 주름이 왜 생기는 줄 알아?

왜?

잊지 말라고. 잊지 말라고 밑줄을 긋는 거야.

류가 내 손바닥을 펴고 말했다.

여기 이 굵게 그어진 밑줄. 이게 나야. 잊지 마. 책을 덮기 전에 한 번은 밑줄 친 문장을 다시 읽듯이, 죽기 전에 꼭 한번은 날 다시 생각해야 해. 약속해.

약속할게.

언젠가 꿈에서 깨어나겠지?

꿈이 아닐지도 몰라.

내가 당신이라는 석양이 물들이고 가는 마지막 마을이었으면 좋겠어.

류가 내 코에 코를 맞대며 말했다. 류의 작고 몽글한 코끝이 조금 차가웠다. 우리는 아주 느리고 조용히 키스를 했다. 아주 조금씩 꿈속으로 빠져드는 것처럼 점점 더 깊숙이 멀어지고 있다는 것을 느낄 수 있었다.

우리는 무엇 때문에 그토록 헤어지는 일에 집중했을까.

류는 졸업을 하자마자 유학을 떠났다. 그녀는 지금쯤 분명 좋은 작가가 되었을 것이다. 그거면 됐다. 나는 가끔 밑줄처럼 그려진 손금을 보면서 류를 생각했다. 내 인생에 선명하고 굵게 새겨진 류의 흔적이 나쁘지 않았다. 그것은 정말로 밑줄을 그어놓은 문장을 찾아 읽는 일처럼 꽤 낭만적인 반복이었다.

∞

스쳐지나간 바람의 총화. 그 계절의 알갱이. 함께 머문 자리의 온기. 우리를 감싸던 오후의 잿빛. 절망같은 웃음과 희망의 울음. 선택과 후회. 모두 당신에게 가는 계절이다.

∞

나는 진통 끝에 정규직으로 전환이 됐지만 곧 회사를 그만두었다. 알맞은 때에 죽어야 하듯, 알맞은 때에 떠나야 한다고 생각했다. 나는 거대한 콘크리트 건물에서 벗어나고 나서야 내가 그곳에 스스로 갇혀 있었다는 사실을 깨달았다. 그 후 루다와 약속을 한 것 처럼 사라지는 것들에 대한 소설을 썼다. 소설을 쓰면 쓸수록 소설을 쓰는 것만이 내가 할 수 있는 유일한 일인 것처럼 느껴졌다. 나는 그래서 계속해서 무언가를 써댔다.

모두 당신에게 가는 계절이다

쓰는 것이 사는 것, 사는 것이 쓰는 것.

쓰고 있을 때 나는 비로소 살아있다고 느꼈다. 내가 쓰고 있는 것이 무엇인지, 무엇이 될지는 생각하지 않기로 했다. 그저 쓰고 있다는 행위자체에 집중하기로 했다. 인간은 여전히 아무것도 아니지만, 쓰는 일 만큼은 가치가 있다고 느꼈다.

인간은 가끔 실체가 없는 것에 목숨을 걸기도 한다. 우리는 사랑이었을까. 가끔 꿈속에 루다가 찾아왔다. 그런 날은 아예 잠을 잘 수 없어 밤새도록 비가 쏟아지는 것처럼 소설을 썼다. 그렇게 다시는 루다를 볼 수 없을 것이라는 사실을 깨닫곤 했다. 그렇다. 나는 이제 루다를 만날 수 없다. 그것은 알맞은 죽음이다.

나는 오로지 쓰는 일에 매달렸다. 맥주를 마시는 일 말고 살면서 이토록 한 가지 일에 정념을 쏟아본 적이 없었다. 소설을 쓰다가 맥주를 마셨고 맥주를 마시다가 다시 소설을 쓰기도 했다. 브루스는 고독이 야말로 예술로 들어가는 가장 확실한 출입구라고 말했다. 나는 오롯이 혼자였다. 루다가 사라진 이후 내 옆에 누군가 있다고 느끼지 않았다. 그러나 외롭다는 생각이 들지는 않았다. 밤과 어둠이 깊어질수록 나는 그만큼 글쓰기에 몰입했다. 마치 쓰기 위해 슬픔의 아가리로 기어들어가는 사람처럼 새벽이 되면 어둡고 깊은 동굴로 빠져들었다. 그 안에서 평안을 느꼈다.

한 달 생활비의 대부분을 맥주를 사는데 썼다. 그 이외 다른 지출은

거의 하지 않았다. 브루스가 남기고 간 유산이 제법 남아 있었지만 가끔 공연장 하우스어셔나 미술관 전시지킴이 아르바이트를 하며 생활비를 벌었다. 그 무엇보다도 어디에도 소속되어 있지 않다는 사실 자체만으로도 살 것 같았다. 나는 오랫동안 아무하고도 연락을 하지 않았다. 아마도 앞으로도 그런 삶을 택할 것이다. 누구하고도 연락을 하지 않고 나서 나는 어쩌면 비로소 진짜 나로 살고 있는지도 모른다고 생각했다. 그렇게 7년이 지났다. 7년은 긴 시간이다. 7년 동안 꽤 많은 소설을 썼다. 그리고 숨을 쉬지 못할 만큼 가슴에 통증을 느껴 병원을 갔다가 내가 브루스와 같은 병을 앓고 있다는 것을 확인했다. 예상 했던 일이었기 때문에 그다지 놀라지는 않았다. 의사는 평생 관리하면서 살아야한다고 말했다. 나는 그 평생이라는 단어가 참 우습다고 생각했다. 내가 7년 동안 소설을 쓰면서 깨달은 것이 하나 있다면 인생이란 내가 쌓아놓은 소설만큼 얼마나 공허하고 덧없는가, 라는 사실이다. 그럼에도 내 심장은 아직 뛰고 있다. 이것이 생의 민낯이다.

나는 꽤 오랜 시간 취해 있었다. 가능하면 형체를 알아보기 힘들 정도로 취하고 싶었다. 그렇게라도 인간의 굴레를 벗어던지고 싶었다. 가급적 많은 독소를 몸으로 주입해 위선과 해악으로부터 자유롭고 싶었다. 그렇게라도 생명과 인간에 대해 서툴고 일방적이고 거칠기만 했던 나의 무지와 교만에 대해 사과하고 싶었다. 나는 하루 종일 입을 다물고 소리를 질러댔다. 안경으로 보는 세상은 늘 초점이 맞지 않았다. 그렇게 저무는 청춘의 노을을 가만히 지켜보는 일이 내가 해야 할 일이

모두 당신에게 가는 계절이다

라고 생각했다. 나는 그렇게 나의 계절을 통과해왔다.

　루다를 생각하면 바람이 불었다. 난바다에 너울대는 파도처럼 가슴 깊숙이 파도가 분다. 우리는 서툴렀고 어리석었다. 우리는 서로에게 삶 자체의 심장이었다.

　인생에는 절대로 알 수도, 상상조차 할 수 없는 고통이란 게 있을지도 모르니까. 그게 사랑이고, 바로 그것을 우리는 삶이라고 부르는 것일지도 모른다.

　나는 소설을 썼다. 아무런 사건도 일어나지 않는 소설. 모두가 사라지는 소설. 쓰는 사람만이 존재하고 읽는 사람은 없는 소설. 소설은 나를 움직이게 했고, 좌절하게 했다. 그렇게 나는 계속 실패 했다. 소설을 쓰면 쓸수록 의미와 무의미, 삶과 죽음처럼 내가 알 수 있는 것은 아무것도 없다는 확신만이 쌓여갔다. 나는 하릴없이 쏟아지는 장맛비처럼 그저 나에게 맺힌 문장을 쏟아낼 뿐이었다.

　나에게 루다는 무엇이었을까. 나는 끝내 알지 못할 것이다. 그러나 멈추지 않을 작정이다. 나는 어쩌면 삶을 사랑하고 있는 것인지도 모른다. 그런점에서 나는 사랑을 끌어안는 일과, 고독 안으로 들어가려는 일을 계속해나갈 것이다. 그렇게 계속해서 나 자신에게 가는 길을 헤맬 것이다.

모두 당신에게 가는 계절이다

작가의 말

부끄럽게도 나는 생활인입니다
당장의 배고픔과 외로움 앞에서 나약해집니다
사회적 지위, 명성, 재산, 외적인 美에 자꾸만 눈이 갑니다
그래서 가끔 결사적인 문인들을 만나면 고개가 절로 숙여집니다
나는 왜 소설을 쓰는가
무엇을 위해 쓰는 일을 멈추지 않는가
좁은 정신세계와 나약한 문학정신으로 번번이 자괴하면서
나는 왜 소설을 쓰고 있는가
정말로 모르겠습니다
소설을 쓰는 일이 무슨 의미가 있는지도 잘 모르겠습니다
그저 꿈을 꾸듯 소설을 쓸 뿐입니다
소설을 통해
무엇이 꿈이고 무엇이 현실인지
인간이 점, 선, 면과 다른 게 무엇인지
묻고 싶었습니다
대답을 들을 수 없다는 것을 알면서도
묻고 싶었습니다

2023년 겨울
김선욱

차라투스트라여, 그대 춤추는 한낮이여

초판 1쇄   2023년 12월 14일

저 자   김선욱
발행인   이현희
표 지   성왕현

펴낸곳   아하하 아트컴퍼니
등 록   2022.08.11.(제2022-000079호)
주 소   서울특별시 서대문구 북아현로63, 201호
전 화   03-363-8586
이메일   ahaha_art@naver.com

ISBN   979-11-981059-9-8

www.ahaha.kr